La Peur et la Faute

EUGEN DREWERMANN

La Peur et la Faute

Psychanalyse et théologie morale
I

Introduction et Traduction de l'allemand par
JEAN-PIERRE BAGOT

*Publié avec le concours
d'Inter Nationes*

LES ÉDITIONS DU CERF
PARIS
1992

Du même auteur :

La Parole qui guérit, Éd. du Cerf, 1991.
L'essentiel est invisible, une lecture psychanalytique du Petit Prince, Éd. du Cerf, 1992.
De la naissance des dieux à la naissance du Christ, Éd. du Seuil, 1992.

Titre original : Psychoanalyse und Moraltheologie, *t. I,* Angst und Schuld

© *Matthias Grünewald Verlag,* 1982
(Max-Hufschmidt-Straβe 4 a
D - 6500 Mainz-Weisenau)

© *Les Éditions du Cerf,* 1992, pour la traduction française
(29, boulevard Latour-Maubourg - 75340 Paris Cedex 07)

ISBN 2-204-04517-9

INTRODUCTION

Il y a un an, désireux de faire entrevoir au public francophone l'ampleur de l'œuvre d'Eugen Drewermann, alors à peu près totalement ignorée de nos pays, nous présentions celle-ci en recourant à l'image d'un concert d'orgue où l'exécutant utilisait registres et jeux de façon à la fois grandiose et étrangement originale : c'est en faisant appel à des disciplines jusque-là encore très compartimentées, théologie, philosophie, exégèse, histoire des religions, psychanalyse, qu'il nous propose une « orchestration », à la fois ancienne et nouvelle, de certains grands thèmes chrétiens fondamentaux. Ceux-ci, souvent rabâchés jusqu'à saturation dans la littérature ecclésiastique, prennent sous sa plume de nouvelles résonances et touchent les lecteurs les plus divers. Nous évoquions la surprise et les débats que provoquait déjà, et que ne manquerait pas de provoquer plus encore, dans l'Église ou hors de l'Église, cette interprétation inattendue[1].

Depuis, on commence à présenter en Drewermann le « nouveau Luther » de notre temps. L'opinion publique a été saisie de ses démêlés avec son évêque, Mgr Degenhardt. Celui-ci l'a privé en octobre 1991 de la charge d'enseignement qu'il lui avait confiée au séminaire universitaire de son diocèse, quatorze ans plus tôt. Et, en janvier 1992, il lui a retiré de plus sa mission de prédication. Ces mesures ont fait connaître le nom de Drewermann dans notre pays, mais elles n'ont guère été l'occasion, chez nous, d'expliquer les enjeux de cette affaire.

Que faut-il en penser ? « Procès kafkaïen qui ne fait que renforcer les mises en question du fonctionnement d'une

1. J.-P. BAGOT, Introduction à E. Drewermann, *La parole qui guérit*, Éd. du Cerf, 1991, p. 7-19.

Église cléricalisée[2] », se plaint Drewermann. Encore le public désire-t-il en savoir plus, se rendre mieux compte de ce qui se passe. Il a trop connu, et les pouvoirs inquisiteurs gardiens d'orthodoxies sourcilleuses, et ces extrémistes qui, pour forcer la société à démasquer « sa nature fondamentalement répressive », multipliaient les attentats terroristes. Il veut des pièces ! Il entend connaître la vraie partition du concert.

Bien avant ces polémiques, les Éditions du Cerf avaient décidé de publier les principaux ouvrages d'Eugen Drewermann[3]. La façon dont le théologien de Paderborn prend à bras le corps les questions que pose aux croyants le développement des sciences humaines, en particulier de la psychanalyse, de l'histoire des religions, de l'analyse institutionnelle, offre soudain à ceux-ci une extraordinaire possibilité, en tant que « propriétaire » de l'héritage, d'en « tirer du neuf et du vieux » (Mt 13, 52). Certes, bien des chrétiens s'inquiéteront de voir la remise à jour du « trésor caché » prendre parfois la forme d'un accouchement au forceps, avec tous les risques qui en résultent pour le produit final. Mais leurs attentes personnelles, leurs questions, leurs critiques, leurs peurs mêmes ne doivent pas les conduire à préjuger du résultat définitif d'une opération qui est loin d'être achevée : rien ne serait pire que de rejeter d'avance dans la fosse l'œuvre qui émerge, en prenant prétexte de tel ou tel de ses aspects au premier abord choquants. C'est en portant, à la mesure de leur expérience personnelle et communautaire, l'effort de réflexion intellectuelle sur les questions posées par Drewermann que ces croyants se donneront une chance de rendre compte aujourd'hui de l'espérance qui les porte.

Il faut donc laisser parler les textes.

---

2. « Procès kafkaïen », tel est le titre que donne le professeur Eicher, témoin direct de tous les événements, à un document largement diffusé en Allemagne. Il montre les fluctuations constantes de la procédure de l'archevêque de Paderborn et le caractère parfaitement inattendu de sa menace de sanctions graves, en octobre 1991, ce qui suscita brusquement l'attention de la presse française.

3. Il faut toutefois en excepter *De la naissance des dieux à la naissance du Christ* (*Dein Name ist wie der Geschmack des Lebens*), qui paraît aux Éd. du Seuil. Ajoutons qu'il n'est également pas pensable de traduire toute la littérature polémique, actuellement foisonnante en Allemagne.

L'urgence est d'autant plus grande que la presse a joué le rôle de caisse de résonance sans toujours aller au fond du débat. Drewermann se plaint que son archevêque en a le premier utilisé l'effet médiatique, et Mgr Degenhardt lui renvoie la balle[4]. Sans avoir ici les moyens de trancher la querelle, constatons simplement que l'effet de masse a joué à plein, en Allemagne d'abord, mais par contre-coup, dans toute l'Église catholique. Depuis Mgr Lefebvre, une certaine opinion publique manquait un peu d'hérétiques. Désormais Drewermann figure à la « une », même de journaux les plus indifférents aux débats religieux, et en tout cas fort éloignés de tout débat d'idées trop peu croustillants pour exciter leur clientèle. Il faut en particulier citer un récent article du *Spiegel*[5], le grand hebdomadaire allemand, dont l'interview-montage relève du type d'information dont on nous a abreu-

---

4. Le 6 juillet 1991, un long entretien de six heures entre Mgr Degenhardt, pressé par Rome de régler le problème dans son diocèse, et E. Drewermann avait laissé espérer un accord. Mais, sans attendre le compte rendu intégral qui était prévu, l'archevêque rédigea un résumé, le présentant sous la forme de thèses virtuellement condamnables (ce qui ne va pas sans évoquer les fameuses cinq propositions jadis tirées du livre de Jansenius, origines de la triste querelle janséniste, si ruineuse pour l'Église). Drewermann pour sa part protesta contre un procédé en lequel il voyait la rupture du dialogue ouvert. Le conflit d'autorité était engagé, l'évêque faisant désormais une question de principe de la soumission de son prêtre, et le faisant savoir publiquement. Dès lors, le conflit n'a cessé de se radicaliser. Depuis, le compte rendu intégral de l'entretien a été publié par chacune des deux parties. Dans celui-ci, on ne peut qu'apprécier la très haute teneur de l'argumentation de Drewermann, fort éloignée de l'étroit rationalisme que lui prêta par la suite *Der Spiegel* (voir n. 5). Voir : *Dokumentation. Zur jüngsten Entwicklung um Dr. Eugen Drewermann*, éd. par H.-J. Rick pour l'archevêché de Paderborn, Paderborn, Bonifatius, 1991, et E. Drewermann, *Worum es eigentlich geht. Protokoll einer Verurteilung*, Kösel, 1992.

5. Sous le titre « Jésus n'a pas voulu cette Église-là », *Der Spiegel* du 23 décembre 1991 reprenait de façon provoquante cinq thèmes à propos desquels l'archevêque de Paderborn reprochait à son prêtre de diverger de la théologie traditionnelle de l'Église. De cent trente pages d'entretiens, il extrayait les phrases susceptibles de plaire à son public libéral, sans jamais retenir aucun des aspects positifs des déclarations de Drewermann sur la valeur fondamentale du langage symbolique biblique, à plus forte raison sans rendre compte le moins du monde de la logique interne de sa pensée. À la veille de Noël, cette interview, qui revêtait ainsi une forme purement négative, ne pouvait que susciter des réactions violentes de la part de Mgr Degenhardt. Ce qui se produisit. En le reproduisant intégralement, L'*Autre Journal* de février 1992 pouvait alors titrer : « L'homme

vés en nous parlant des charniers roumains ou de la guerre chirurgicale d'Irak.

Un des moindres reproches qu'on peut faire à ce type d'information est d'avoir monté en épingle une thématique qui n'est pas en soi drewermannienne, et de l'avoir fait passer pour le centre de son œuvre : celle d'une certaine critique *historique* de la Bible[6] aboutissant à nier tout miracle comme contraire à l'explication scientifique du monde ou à la vraisemblance historique. Ainsi de la Virginité de Marie ou de la résurrection corporelle de Jésus. Mais on oublie de dire que si l'auteur accepte effectivement – et peut-être hâtivement – certains résultats des plus radicaux de la critique historique c'est avant tout pour en montrer le déficit en matière religieuse : pour lui, le problème n'est pas de savoir si tel ou tel « miracle » s'est passé de telle ou telle manière comme le ferait un procès-verbal de gendarmerie, mais de nous faire percevoir le seul miracle qui justifie une lecture religieuse de ces événements, donc une lecture symbolique. En effet, comme l'a bien vu E. Ortigues, dans *Le Discours et le Symbole*, le symbole « a pour fonction de nous introduire dans un ordre dont il fait lui-même partie », un autre ordre que la réalité banale et empirique. Il est donc plus important pour une lecture religieuse de l'Écriture de voir dans la virginité de Marie l'affirmation de la nature divine de son Fils que de se lancer dans une enquête historique digne d'un greffier d'état civil. Peut-être minimise-t-il ainsi le « miraculeux » traditionnel, et on peut donc hésiter à souscrire à toutes ses déclarations, mais encore faut-il voir l'aspect positif de son propos.

Il ne suffit donc pas de donner au hasard quelques fragments de la « partition » de Drewermann. Dans la mesure où il n'est pas possible de publier immédiatement la totalité d'un œuvre immense, il importe de rappeler comment ces fragments s'insèrent dans la symphonie d'ensemble.

---

qui fait trembler l'Église », (mais quelle « Église » ?). On a alors brutalement oublié l'homme qui redonne du souffle à la Bible... ou tout simplement : « La parole qui guérit » !

6. Rappelons toutefois que cette problématique avait suscité une vigoureuse réaction de défense de la part de certains exégètes allemands ; Drewermann en avait profité pour bien marquer quel sens positif son interprétation symbolique conférait à la Bible. Ce qui devrait dispenser de déclarer que son interprétation n'est que « symbolique », autrement dit destructrice de tout sens « réel ».

Psychanalyse et théologie morale[7], dont *La Peur et la Faute*
est le premier volume, ouvre un débat important : celui des
déclarations officielles et de la pratique pastorale de l'Église
touchant les questions de l'avortement, de la guerre et du
divorce. Ce livre est donc à la charnière de l'évolution des rap-
ports de Drewermann avec son évêque, et par là avec le
« magistère » de l'Église. Il laisse déjà entrevoir le conflit à
venir, porté à son paroxisme dans *Clerc* (*Kleriker*) s'explique
mieux à la suite de ces démêlés : Dans cet ouvrage, Drewermann ne fera qu'analyser les blocages psychologiques et insti-
tutionnels expliquant les résistances de l'Église à un accueil
plus évangélique et plus humain des situations de détresse.

La Peur et la Faute reprend la thèse de base de l'auteur, son
analyse de la cassure fondamentale de l'homme, celle qu'il
importe de guérir.
Il faut toujours se rappeler que cette analyse part de situations concrètes. Drewermann est fondamentalement un prêtre,
un pasteur, un « thérapeute », qui entend aider à vivre les gens
qui l'entourent. Or, à Bad-Driburg, près de Paderborn, où,
comme jeune vicaire, il fut en contact avec des malades psychiques, puis, beaucoup plus tard, comme « conseiller spirituel », ou plutôt « psychothérapeute », dans une paroisse de
Paderborn, il découvre avec stupeur, non seulement l'inéffica-
cité totale d'un certain langage religieux plaqué, mais les
dégâts que peut même provoquer un (ou *le*) mauvais usage du
discours chrétien. Il existe une prédication sur le *péché* et sur le
salut qui n'est pas comprise – soit qu'elle paraisse d'un autre
âge, soit qu'elle redouble le poids de la culpabilité au moment
même où elle parle de grâce et de guérison.
Voilà pourquoi il propose de donner un sens moderne au
mot « péché » en l'appelant « désespoir » et en se référant à
ce que la philosophie de l'existence appelle « angoisse ».
L'angoisse ! La peur ! Il ne s'agit pas là d'un simple sentiment propre à des névrosés ou à des inquiets. Il s'agit d'une
situation fondamentale de l'existence humaine, d'une attitude

---

7. En allemand, *Psychoanalyse und Moraltheologie*, publié chez
Matthias-Grünewald-Verlag, est composé des trois tomes suivants : *Angst
und Schuld* (*La Peur et la Faute*), *Wege und Umwege der Liebe* (que nous
présenterons sous le titre *L'Amour et le Pardon*) et *An den Grenzen des
Lebens* (que nous présenterons sous le titre *Le Mensonge et la Mort*), ces
deux volumes devant paraître à l'automne de 1992.

qui peut se camoufler derrière les formes les plus assurées de discours, d'action ou d'institutions. Car, par sa nature même, l'homme ne peut pas ne pas ressentir au plus profond de lui sa fragilité, sa non-nécessité. Dès lors, il perd pied, et il ne trouve à « se raccrocher » qu'en se donnant une image rassurante de lui-même, une image qui ne fait en réalité que l'ancrer dans de fausses sécurités et le mettre en conflit constant avec la réalité, la sienne, celle des autres, celle de Dieu (ce que raconte à sa manière le vieux récit de la chute originelle : il nous décrit notre existence la plus quotidienne). Drewermann montre comment cette attitude affecte de façon navrante tous les domaines de la vie. S'appuyant à fois sur la théorie analytique des névroses et sur la réflexion de Kierkegaard, il en analyse les tours et les détours, proposant ainsi à chacun un miroir où il peut reconnaître ses propres tendances.

Seul moyen d'échapper à l'abîme : retrouver la confiance perdue. Celle-ci ne demande qu'à renaître, car toutes les images qui la portent sont là, tapies au plus profond de l'homme, et elles tendent tant bien que mal à réémerger à travers les diverses formes de religion. Encore faut-il oser les activer. Or cela n'est possible que si quelqu'un nous permet de nous retrouver nous-mêmes, quelqu'un qui sera un nouvel Adam, un homme réné dans la confiance totale, reflet retrouvé de l'Absolu qui nous fonde, du Dieu qui nous aime et qui nous appelle à être. La Bible chrétienne ne nous parle de rien d'autre que de la naissance de celui-là. C'est de lui, Jésus, qu'elle nous raconte l'œuvre salvatrice bien réelle (en recourant à un langage symbolique, le seul possible en ce domaine).

La foi ne supprime ni les difficultés de la vie, ni la mort. Inséré dans la nature, confronté aux contradictions d'une histoire humaine, l'homme ne saurait donc prétendre échapper à la *tragédie humaine* grâce à l'intervention soudaine d'une Providence qui l'arracherait miraculeusement à sa condition. Mais la foi lui permet pourtant d'affronter le mal et de reconnaître, au-delà de lui et à travers lui, un sens ultime à la vie, dans l'Amour qui fonde tout. Sans cette perception de l'amour de Dieu, qui ne peut se faire que par l'intermédiaire *de l'homme*, il ne saurait y avoir de remède à l'angoisse ni de salut. Tel est pour Drewermann le centre de la Bonne Nouvelle biblique.

Toutes ces idées ne font que reprendre la thèse de *Les Structures du mal (Strukturen des Bösen)*, qui avait valu à son auteur le titre de docteur et son « habilitation professorale ». Le *magnus cancellarius* de l'université, le Dr J. Degenhardt, archevêque du lieu, en avait alors reconnu l'immense valeur scientifique et théologique, et avait conféré à son prêtre la *venia legendi*, la charge de maître de conférence à son séminaire universitaire. C'était quatorze ans plus tôt, en 1977.

Mais des grincements se firent entendre quand Drewermann commença à tirer quelques conséquences pastorales de sa thèse, et se mit à analyser les incohérences qu'il percevait dans le discours et dans l'action de l'Église.

Dans *La peur et la faute* Drewermann reproche en effet à l'Église de méconnaître l'homme : elle réduit la vie psychique de celui-ci à l'intelligence et à la volonté, facultés apparemment faciles à régir en faisant appel à la force du discours et à l'autorité de la loi. Mais elle oublie ainsi le fonctionnement réel de chacun, avec son affectivité, autrement dit le monde immense de l'inconscient, celui auquel renvoyait précisément la doctrine du péché originel. C'est pourquoi, au lieu de toucher les couches profondes de la psyché, d'y faire résonner sa bonne nouvelle de salut et d'offrir ainsi à l'homme perdu l'assurance dont il a besoin pour pouvoir se réorienter dans la vie, elle l'enfonce en l'accablant sous ses reproches et en ne lui offrant que de fausses solutions à son drame.

Reprenant son analyse de l'angoisse (fondée sur la réflexion kierkegaardienne) il montre comment cette peur se traduit concrètement dans les névroses, et affecte aussi la vie courante de chacun de nous. Il souligne alors l'aspect tragique de la vie humaine, souvent coincée dans des contradictions impossibles à résoudre : hérédité biologique et plus encore psychologique, ou situations sociales et institutionnelles. Il l'analyse à partir de cas concrets, comme l'avortement. Rappelant le rôle psychique fondamental de l'inconscient, il montre à quel point celui-ci limite la liberté humaine. Il en conclut à l'impossibilité où sont certaines personnes de trouver dans tous les cas la solution *morale* qu'on voudrait les persuader d'adopter. Il plaide alors vigoureusement en faveur de l'accueil et de la compréhension de ceux qui ne peuvent parfois qu'enfreindre les règles de la société ou de l'Église. Mais il faut aller plus loin : celle-ci, en définissant sa morale comme un ensemble de règles, ne manque-t-elle pas à sa vocation fondamentale, qui est d'annoncer un Dieu qui aime gratuitement, avant toute « prestation de l'homme ».

C'est déjà tout un type de discours ecclésiastique officiel qui se trouve ainsi remis en cause. On comprend alors que cette réflexion critique touchant la pastorale concrète, provoque une opposition grandissante (une opposition représentant tout un courant d'opinion catholique), au point que certains seront même tentés de condamner l'ensemble de la pensée de l'« hérétique ».

De fait, certaines positions de Drewermann méritent qu'on lui pose des questions. Thérapeute, il a en priorité affaire à des chrétiens (ou à des anciens chrétiens) qui ont été écrasés sous le poids de la loi et de l'institution ; et Dieu sait s'il y en a. Mais la croissance (psychologique et spirituelle) de l'homme est-elle possible sans ce choc avec des instances instituées (extérieures, ou intériorisées) représentant les exigences personnelles et sociales du réel ? La violente protestation de l'auteur contre la récupération de l'Évangile par un discours moralisant tient-elle compte de tous les détours des chemins qui conduisent à la découverte de la grâce.

Pour parler en image, disons que Drewermann ne cesse de valoriser l'Égypte ancienne, où il retrouve les archétypes fondateurs du christianisme. Certes ! Mais doit-on en arriver à penser que la vision pharaonique de l'homme était aussi idyllique qu'il le donne parfois à penser ? S'il faut savoir retourner en Égypte, pour y retrouver les sources maternelles de la pensée, ce n'est pas pour s'y réinstaller, mais pour reprendre une fois de plus la route du désert (« C'est pour que se réalise la parole : "d'Égypte j'ai appelé mon fils" », dit Matthieu, parlant du retour de Jésus dans ce pays), et affronter ainsi le difficile chemin de *l'histoire*, avec toutes ses dimensions (économiques, politiques, sociales, culturelles, donc institutionnelles). La relation du judaïsme à l'Égypte s'affirme dans la rupture ; le christianisme primitif, lui, a tenu à retrouver le lien avec son archéologie la plus profonde. Mais il n'en a pas moins marqué la nécessité de reprendre le chemin de l'Exode, et de réaffronter ainsi à nouveaux frais le problème du groupe, du chef, de la loi. Il ne suffit pas de retrouver le langage symbolique des origines pour accéder de nouveau à la source primitive du religieux, et ce n'est pas de façon purement répétitive que les premiers chrétiens ont conféré à Jésus le titre de « Fils de Dieu » que les pharaons s'étaient attribué[8] ; ce n'est pas non plus par simple hasard que la figure de Dieu en Jésus crucifié diffère tant de celle du roi tout-puissant, trônant face au soleil levant, à Abou-Simbel. Le langage symbolique éternel se charge d'un nouveau sens à travers une histoire de chair et de sang dont le rêve symbolique égyptien semble avoir fait l'économie, pour le plus grand profit de l'autorité et le confort spirituel des sujets.

Le commentaire de l'Évangile de Matthieu, à la rédaction duquel travaille actuellement Drewermann, pourrait nous amener des éléments nouveaux sur ce problème. Le théologien de Paderborn s'y efforce de reprendre à nouveaux frais la question de la relation Égypte-judaïsme-christianisme. C'est dire que le débat ne s'ouvre pas en vain.

Comme on le voit, le présent ouvrage ne soulève pas directement le problème de l'interprétation drewermannienne de la Bible, sur lequel *Der Spiegel* a centré l'attention du grand public. Il n'y a donc pas lieu de s'y appesantir présentement. Constatons seulement au passage que ce ne fut pas jamais son interprétation « symbolisante » de la Bible qui valut au grand Origène de manquer tout à la fois le nimbe de la sainteté et le titre de docteur de l'Église, mais sa négation un peu trop rapide de la tragédie de la faute; il n'en reste pas moins un des grands fondateurs de la science biblique. Et si on tient absolument à se référer à un Père incontesté, qu'on relise la *Vie de Moïse* de saint Grégoire de Nysse, le grand Cappadocien. Il faudrait se demander si Drewermann ne se situe pas dans cette tradition vénérable en revalorisant à fond le langage symbolique. Dans l'Église, ce sens du texte n'est pas un moins, mais un plus, ce que viennent heureusement de redécouvrir les sciences humaines. Un peu de circonspection s'impose lorsqu'on reproche à Drewermann de n'être « que » symboliste. Et si on tient à imputer à quelqu'un les résultats radicaux de la critique exégétique moderne, qu'on se retourne plutôt vers les représentants de celle-ci.

---

8. Notons toutefois que Drewermann opère cette critique de la religion pharaonique dans *De la naissance des dieux à la naissance du Christ*. Mais il nous semble avoir par la suite quelque peu idéalisé le personnage du pharaon.

Il existe un autre point d'interrogation, relativement indifférent au grand public, mais très sensible dans le monde intellectuel : le mélange des genres (ou, pour reprendre notre comparaison initiale, l'utilisation par Dewermann de plusieurs jeux à la fois : théologie morale, philosophie, exégèse, sciences humaines... sans compter la variété des écoles psychanalytiques). En France, où l'on aime distinguer, on est particulièrement sourcilleux en ce domaine épistémologique. Ayant ainsi entendu quelques « spécialistes », exégètes, théologiens, moralistes, psychanalystes, formuler des objections de ce genre, je ne prétends pas y répondre en détail. Je réagis ici en praticien de la pédagogie, qui recourt à ces savoirs sans en être spécialiste. Je constate que, pour le moment, en France, je n'ai pas encore entendu d'argumentation sur pièces. Dans la mesure où je perçois des jugements péremptoires sans justification, il me semble plus urgent que jamais de fournir les pièces nécessaires à l'information sérieuse et à la discussion. En attendant, je constate l'influence positive de nombre de textes de Drewermann, aussi bien auprès de pré-adolescents qu'auprès d'adultes. Religieusement parlant, Drewermann n'est pas un destructeur, mais un constructeur. Ne dit-on pas qu'« on reconnaît l'arbre à ses fruits » ?

Cela ne veut pas dire qu'on doive approuver a priori ses propos. Je lui ai d'ailleurs ici même posé des questions. Mais je pense qu'il faut d'abord le lire. Il a le courage de poser à nouveau des problèmes de morale et de pastorale, mais aussi des questions pour lesquelles des chrétiens ont souffert (que ce soit un Père Lagrange ou un Loisy, un Blondel ou un Le Roy). Il met en pratique (serait-ce de façon critiquable) la « conversion anthropologique » à laquelle Vatican II appelle l'Église. De cela, je suis solidaire. Quant au débat épistémologique, il ne saurait s'engager sérieusement que sur la base du troisième volume de *Strukturen des Bösen*, où Drewermann affronte ce problème.

Mais pour le moment, restons-en à notre premier volume de théologie morale et à la petite partie de la symphonie drewermannienne qu'il nous propose, telle la dérivée d'une courbe que nous ne pouvons que tenter d'anticiper sans encore en connaître l'intégrale.

JEAN-PIERRE BAGOT.
Abou-Simbel, le 25 février 1992.

1

L'existence tragique
et le christianisme

Vous nous jetez dans la vie,
et vous rendez coupable le pauvre ;
puis vous le livrez à la souffrance,
car, sur terre, toute faute se venge

J. W. Goethe, *Les Années d'apprentissage de Wilhelm Meister.*

LA VIE TRAGIQUE :
SA NATURE ET SES MANIFESTATIONS

L'ère dite païenne nous a transmis un sentiment de la vie, une façon de voir le monde, profondément tragique. Les humains n'y figurent que comme les pièces d'un jeu aux règles impénétrables : celui que des dieux immortels, des puissances plus fortes qu'eux, poursuivent sur la scène terrestre : quelque désir qu'on en ait, il est impossible de s'y soustraire[1].

1. C'est ainsi que, dans l'*Iliade*, Agamemnon reconnaît la faute qu'il a commise en refusant à Achille Briséis, l'épouse promise comme butin de guerre ; mais il se déclare « non coupable ». Les coupables sont « Zeus et le Destin, et l'obscure Érinys qui, à l'assemblée, m'ont jeté dans l'âme un

Parfois, à certains coups, on entrevoit un sens : le crime du père se venge immanquablement sur les générations suivantes[2], ou, suite à quelque acte d'orgueil remontant à la nuit des temps, une malédiction s'appesantit sur la descendance du fautif, venant polluer son lignage : la faute primitive se reproduit d'elle-même, ne s'effaçant qu'avec la mort des malheureux héritiers. Faut-il pour autant parler de justice ? Car il ne suffit pas que l'innocent, né bien longtemps après l'anathème, ait à expier le crime ! En dépit de ses résistances, il est contraint à le répéter lui-même et à s'en rendre ainsi responsable ; ainsi, aux sources mêmes de sa destinée, l'individu se découvre-t-il déjà coupable : empêtré dans le filet du mal, il est perdu. Ainsi les dieux l'ont-ils voulu. Injustifiable arbitraire des dispositions du monde supérieur ! Pourtant, devant l'injustice de l'administration d'en haut, rien d'autre à faire qu'à ravaler sa plainte.

Dans cette vision tragique de la vie, trois traits dominent : premièrement, le caractère inéluctable des événements : il existe une destinée à laquelle l'individu est livré sans pouvoir, et son effet est d'autant plus rapide et cruel que la personne se débat davantage contre elle ; ensuite, la confusion où se trouve un individu jeté dans un ensemble qui le dépasse : il n'est qu'un maillon de sa famille, et son destin ne fait donc

---

aveuglement sauvage, quand, à Achille, j'ôtai moi-même sa récompense. Mais que faire ? C'est une déesse qui mène tout à bout, la vénérable fille de Zeus, Até, qui égare tous les hommes, la pernicieuse ! Elle a des pieds délicats, car elle ne touche pas le sol ; elle marche sur les têtes des hommes, nuisible aux humains. Pourtant, il est sûr qu'elle a enchaîné au moins un autre être [...] » (HOMÈRE, *Iliade*, XIX, v. 86-94 ; trad. E. Lassere, Garnier-Flammarion, 1965, p. 325). Agamemnon escamote le moment tragique de la faute en cherchant dans la destinée une excuse à son comportement. Inversement, Sophocle marque l'opposition et l'unité qui existent entre la destinée et la responsabilité : il fait dire au roi Œdipe : « C'est moi-même qui me trouve avoir lancé contre moi-même les imprécations que tu sais. À l'épouse du mort, j'impose une souillure, quand je la prends entre ces bras qui ont faire périr Laïos. Suis-je donc pas un criminel ? [...] Est-ce donc pas un dieu cruel qui m'a réservé ce destin ? On peut le dire, et sans erreur » (SOPHOCLE, *Œdipe roi*, v. 806-809, 815-816 ; trad. A. Dain et P. Mazon, Éd. Les Belles Lettres, 1965, p. 102). Voir H.W. RUSSEL, *Antike Welt und Christentum*, Anvers, 1944, p. 63-168.

2. Homère dit de la maison des Atrides que Zeus, dont le regard domine les lointains, l'a dès l'origine « poursuivie d'une haine terrible » (*Odyssée*, XI, v. 436-438 ; trad. M. Dufour et J. Raison, Éd. Garnier-Flammarion, 1965, p. 169).

que cristalliser un destin collectif ; enfin, l'échec moral personnel : les facultés morales de l'individu se brisent nécessairement contre les lois rigoureuses tapies au cœur de son être, de sa famille et même dans la nature extérieure : en dépit de sa bonne volonté, il doit objectivement endosser la faute, se rendant ainsi responsable de son anéantissement. C'est finalement là le drame essentiel.

Ce qui rend la vie tragique, c'est donc un conflit entre la conscience individuelle et la contrainte de l'universel : une personne de bonne volonté morale vient se heurter à la nécessité de son destin, et le mal qu'elle *doit* finalement commettre est la conséquence d'événements originels auxquels elle est étrangère, mais qui ne l'en enchaînent pas moins inexorablement.

Certains prétendent alors que la source de la tragédie humaine, c'est l'opposition entre l'individu et le groupe : c'est en se mettant à distance de celui-ci, en prenant conscience de soi et en tentant de faire valoir ses points de vue et ses intérêts particuliers, que la personne *se rendrait nécessairement coupable*[3]. Telle est l'idée dominante de la métaphysique de l'esprit, celle de l'idéalisme allemand[4]. Elle simplifie indûment les choses et ne rend pas compte du

---

3. Friedrich Hebbel a particulièrement souligné le combat entre l'individuation de la personne et la pesanteur de la collectivité. Il y a vu le thème central de la philosophie et de l'art. Selon lui, l'individu court de lui-même à sa ruine. Ne pouvant prétendre à la durée, il sombre dans la démesure, et provoque ainsi sa propre destruction afin d'y trouver la réconciliation de sa faute. Cette « faute » (la démesure de la personne), écrit-il, « est originelle. Elle est indissociable de la notion d'homme, et elle est quasi inaccessible à la conscience. Elle est inhérente à la vie même. Elle constitue comme un fil noir qu'on retrouve dans les traditions de tous les peuples, et l'idée de péché originel n'est rien d'autre que sa forme dérivée, modifiée par le christianisme » (F. HEBBEL, *Mein Wort über das Drama*, 1843 ; *Hebbels Werke* (T. Poppe éd.) VIIIᵉ partie, *Écrits esthétiques et critiques*, 55 ; Deutches Verlagshaus Bong et Cie, s.d., p. 35-62 (réplique au professeur Heiberg, de Copenhague).
4. Pour G. W. F. Hegel, le péché originel consiste à prendre conscience de soi, dans la mesure où, par son acte de réflexion, l'homme se détache non seulement de la nature qui l'environne (et acquiert de ce fait la liberté de faire le bien ou le mal), mais institue en même temps le particularisme de sa volonté propre (voir HEGEL, *Principes de la philosophie du droit*, trad. A. Kaan, Gallimard, 1940, coll. « Idées » p. 147-188 ; voir aussi les *Leçons sur la philosophie de la religion*, II, « La religion déterminée », trad. J. Gibelin, Vrin, 1959, p. 72-73). Voir E. DREWERMANN, *Strukturen*

problème. S'il ne s'agissait que d'un simple repli sur soi
d'un individu qui viendrait substituer ses fins particulières à
celles de l'universel, en entendant par là ce qui oblige moralement tout le monde, on pourrait certes le déclarer objectivement coupable. Mais sa faute n'en revêtirait pas autant un
caractère tragique. Même en admettant la thèse idéaliste
selon laquelle la réflexion suscite nécessairement l'opposition entre le particulier et le général, ce qui peut être vrai
dans certaines circonstances[5], cela ne saurait donc suffire
pour déclarer ce conflit dramatique : en se posant comme
pour pour-soi, l'individu nie certes le lien qui l'attache à
l'universel ; mais en quoi cette opposition serait-elle coupable ? La personne peut certes paraître telle devant le
groupe. Mais aussi longtemps qu'elle s'obstine à défendre sa
singularité et sa particularité, elle se trouve absoute devant
sa propre conscience.

S'il est impossible de faire remonter le caractère tragique
de la vie au conflit du particulier et de l'universel, il faut en
revanche y déceler l'éclatement de l'universel au cœur du
particulier. Ce qui le constitue, ce n'est pas que quelqu'un
veuille quelque chose d'autre que le groupe, ou qu'il doive
poser acte de volonté personnelle ; c'est qu'il désire cor-
respondre aux exigences de l'universel, mais ne le peut pas,
parce qu'il découvre dans sa vie concrète leur caractère
contradictoire. Suivant les cas, cet « universel » qui vient
faire éclater l'éthique est celui de la nature, de la psyché, de
l'inconscient, ou même celui de la moralité elle-même. Ce
qui conduit à distinguer deux formes de situations tragiques :
celle qui résulte du conflit entre l'inconscient et le donné
moral : ici, l'individu reste encore responsable ; celle qui
résulte du conflit des devoirs : ici c'est le sens même de sa
responsabilité qui conduit l'individu à entrer en conflit avec
soi-même. Il y a véritable scission de la moralité.

Dans le premier cas, l'individu est celui qui catalyse une
destinée qui vient le ronger de l'intérieur ; dans le second, il
doit prendre en charge une contradiction qui tient aux

des Bösen. Die yahvistische Urgeschichte in exegetischer, psychoanalyti-
scher und philosophischer Sicht, 3 vol. Schöningh, Paderborn, 2ᵉ éd.,
1979-1980, t. III, p. 85-89.
    5. En particulier là où il y a angoisse. Voir E. DREWERMANN, p. 137-
144.

circonstances dans lesquelles il lui faut se soumettre à la loi collective : cette contradiction lui est imposée de l'extérieur.

L'EXISTENCE TRAGIQUE :
UN PROCESSUS NÉVROTIQUE DE SCISSION DE LA PERSONNALITÉ

Pour commencer à comprendre la première forme de tragique, il suffit de considérer les mythes qui, pour les anciens, servaient à en prendre *conscience*. Ces mythes esquissent en fait un véritable processus psychanalytique dont on peut analyser les phases.

Dans cette forme de récits, la situation tragique naît de l'intervention d'une puissance fatale qui domine l'individu. Cette puissance se concrétise dans les dieux, mais leur est en réalité supérieure. Elle est finalement d'ordre suprapersonnel[6]. C'est un « ça » et non pas un « moi », quelque chose qui survient, et non pas l'expression d'une volonté.

Néanmoins ce destin, quelque impénétrable qu'il soit, ne saurait survenir totalement à l'improviste, sans se laisser au moins entrevoir. Certains lieux ont des voyants, autrement dit des personnes capables d'interpréter les signes : elles peuvent donc avoir une certaine connaissance de l'inéluctable fatalité. Souvent, ce sont des aveugles[7]. En tout cas, plus que de leurs sens externes, c'est de leur sens interne qu'elles tirent leur mystérieux savoir. Bien sûr, animaux familiers des dieux,

---

6. Platon aussi reconnaît les transformations et les injonctions de l'âme, l'action de l'εἱμαρμένη, la « loi du destin ». Voir PLATON, *Les Lois*, 904c ; *Œuvres complètes*, trad. L. Robin, Gallimard, 1950, « Bibl. de la Pléiade », t. II, p. 1034.

7. Ainsi en est-il de Tirésias, le voyant qui de son bâton provoquait tous les sept ans une métamorphose sexuelle de serpents accouplés, et qui passait donc pour un spécialiste des secrets de la sexualité. Zeus et Héra viennent lui demander si c'est l'homme ou si c'est la femme qui éprouve le plus de plaisir dans le coït. Il ratifie l'opinion de Zeus suivant laquelle le désir de la femme est de loin supérieur à celui de l'homme ; ce sur quoi Héra lui ôte la vue, tandis que Zeus le récompense en lui donnant « un esprit connaisseur de l'avenir », atténuant ainsi « sa peine par l'honneur ». Voir OVIDE, *Les Métamorphoses*, III, v. 316-329, trad. G. Lafaye Éd. Les Belles Lettres, 1930, t. I, p. 72. Psychanalytiquement, il faut interpréter l'aveuglement de Tirésias comme une castration venant punir la curiosité sexuelle éprouvée en épiant un coït parental, et son savoir secret comme le signe que l'on a pourtant obtenu dans l'excitation sexuelle. Voir FREUD, « Le Trouble psychogène de la vision dans

course des étoiles, forme des nuages, phases de la lune ou même bruissement des arbres[8] peuvent constituer de précieux indices externes. Mais le voyant ne peut en saisir le message que dans la stricte mesure où il est *intérieurement* proche de la nature. Ce n'est pas aux sens externes qu'il a d'abord besoin de faire appel ; c'est dans les songes et les trances[9] qu'il guette l'essence et l'évolution de l'avenir.

Ainsi donc certains avertissements peuvent être plus présents aux animaux qu'à la conscience humaine, au rêveur qu'à celui qui raisonne en toute clarté ; ils parlent d'une destinée que viennent aussi ratifier les dieux (et les esprits), mais qui vient de plus loin encore et qui n'a donc rien à voir avec la décision d'une quelconque personne. Quelle est donc cette puissance à l'œuvre derrière ce destin inéluctable ? On pourra d'autant mieux en comprendre la nature qu'on la reconnaîtra présente au cœur même de la psyché de l'homme, au plus profond de son *inconscient*.

Telle est l'idée de base qui sous-tend l'interprétation psychanalytique des mythes. Elle éclaire l'étrange cohérence des phénomènes de voyance que nous avons décrits, et leur ôte donc toute apparence de « sortilèges » merveilleux. Seule l'existence de cet inconscient au cœur de la psyché humaine permet de comprendre ce qu'est la force aveugle qui détermine le sort de la personne, et l'étrange façon dont ce sort se

la conception psychanalytique » (110) ; dans *Névrose, psychose et perversion*, trad. J. Laplanche, Presses universitaires de France, 1973, p. 167-173 ; Karl ABRAHAM, « Limitations et modifications du voyeurisme chez les névrosés. Remarques concernant des manifestations similaires dans la psychologie collective » (1913) ; dans *Œuvres complètes*, trad. I. Barande et É. Grin, Payot, 1966, coll. « PBP », t. II, p. 9-57 ; DREWERMANN, I, p. 452-460.

8. On connaît l'arbre oracle de Mambré, en Gn 18, 1, celui de Dodona, ou celui d'Akasie de Ishtar, que se réapproprie Yahvé en I Ch 14, 15. Voir R. von RANKE-GRAVES, *Grieschische Mythologie*, I, p. 159-162, Hambourg, 1960 ; E. DREWERMANN, « Die Symbolik von Baum und Kreuz in religionsgeschichtlicher und tiefenpsychologischer Betrachtung, unter besonderer Berücksichtigung der mittelamerikanischen Bilderhandschriften », *Schwerte*, 1979 (Akademie-Vorträge, 2), p. 10-21.

9. En ce qui concerne la signification des songes individuels ou tribaux, voir la remarquable étude de W. MÜLLER sur le matériau des Indiens d'Amérique du Nord : *Glauben und Denken der Sioux. Zur Gestalt archaischer Weltbilder*, Berlin, 1970, p. 82-92.

laisse symboliquement percevoir dans les forces de la nature ou dans les songes. Elle manifeste seule le lien qui rattache la « destinée » à certaines influences préalables, en particulier à certaines actions des ancêtres.

En effet, dans la vision psychanalytique des choses, l'enfant se trouve déjà inconsciemment, et par là même fatalement marqué par le comportement de ses parents, ce comportement des parents s'étant lui-même modelé en priorité sur celui de leurs propres parents. Qu'on songe aux exemples impressionnants sur lesquels L. Szondi fonde sa thèse sur *l'inconscient familial*[10]. Prenant ses distances vis-à-vis de la vision purement psychique de ce qu'on appelle la « tradition des symptômes », il montre comment la transmission du passé vécu se traduit même à un niveau *biologique,* et il enrichit ainsi l'inconscient personnel de Freud et l'inconscient collectif de Jung d'un troisième inconscient.

Si on admet l'identité de l'action impersonnelle du destin, telle que la présentent les mythes antiques, et du « ça », l'inconscient de la psyché humaine, cela nous permet déjà de comprendre au moins une première forme du tragique : celle où le moi est livré sans merci au pouvoir de l'inconscient. Se heurtant à celui-ci, ce moi peut connaître les injonctions de la morale, en admettre la validité universelle et souhaiter de toutes ses forces y répondre. Mais il n'y parvient pas[11]. Ici, combat moral que mène le moi et échec devant la puissance supérieure de l'inconscient vont hélas indissociablement de pair. La situation tragique ne tient donc absolument pas à l'affirmation individualiste d'une volonté qui entendrait se distancier de la morale universelle, mais au combat qu'un

---

10. L. Szondi, *Schiksalsanalyse. Wahl in Liebe, Freundschaft, Beruf, Krankheit und Tod*, Bâle-Stuttgart, 1965.

11. Dans son *Interprétation des rêves*, Freud avait déjà reconnu que la volonté du « destin » doit être une force de l'inconscient ; à propos de l'*Œdipe roi* de Sophocle, il note : « Si les modernes sont aussi émus par *Œdipe roi* que les contemporains de Sophocle, cela vient non du contraste entre la destinée et la volonté humaine, mais de la nature du matériel qui sert à illustrer ce contraste. Il faut qu'il y ait en nous une voix qui nous fasse reconnaître la puissance contraignante de la destinée d'Œdipe [...] Sa destinée nous émeut parce qu'elle aurait pu être la nôtre, parce qu'à notre naissance, l'oracle a prononcé contre nous cette même malédiction. » (S. Freud, *L'Interprétation des rêves*, trad. I. Meyerson, 1967 Presses universitaires de France, p. 228-229.)

individu, moralement de bonne volonté, mène contre lui-même. Son drame disparaîtrait toutefois de lui-même si, se réclamant du ça, ou d'une nature universelle, il parvenait à se dispenser de l'obligation morale. C'est bien au contraire sa volonté de demeurer dans le cadre sécurisant de la morale universelle qui l'oblige à s'affirmer personnellement en se vouant à la morale. Ce n'est donc pas contre celle-ci qu'il lutte, mais contre soi, contre la pression que, au cœur de sa psyché, son propre inconscient exerce sur son moi. Et c'est bien parce qu'il mène ce combat qu'il meurt.

Le tragique résulte donc d'une scission de la personnalité tiraillée entre les efforts du moi et le pouvoir du ça. On s'y heurte à des moments décisifs de l'existence, à ceux où le moi est trop faible pour pouvoir s'affirmer face à l'assaut de l'inconscient[12].

On peut alors comprendre le drame de la personne dont la bonne volonté morale ne fait que provoquer le châtiment divin, mort physique ou vie de tourments. Pour sa part, la psychanalyse ne parlerait pas ici de dieux vengeurs, mais de puissance du surmoi, d'un surmoi aussi éloigné du moi que le ça dont il dérive, bien qu'il ne forme avec lui qu'un même tout contradictoire[13] : car, d'un côté il en est l'allié, tandis que de l'autre il représente l'ordre moral dont, au lendemain d'une faute pourtant fatale, il viendra venger la transgression en accablant sans pitié le moi de ses reproches et de ses punitions. Se retrouvant coupable, le moi tombe victime de ses souvenirs.

Bref, pour la psychanalyse, le tragique vient de ce que le moi, livré sans défense à son propre inconscient et pris en tenaille entre les lois du ça et celles du surmoi sombre fatalement dans une faute qui lui vaut un châtiment non moins fatal. Son drame, c'est celui de la faiblesse du moi[14], faiblesse

12. On devrait peut-être dire de façon plus précise : au moment où le moi, après s'être laissé dominer par le ça, revient à la conscience et reconnaît son acte, devenant ainsi « un malheureux du fait de sa conscience et de sa destinée », ainsi que le dit Sophocle (*Œdipe roi*, v. 1320).

13. S. Freud, *Le Moi et le Ça* (1923), dans *Essais de psychanalyse*, trad. S. Jankélévitch revue par A. Hesnard, coll. « PBP », 1970, p. 177-234, Payot.

14. C'est ce que voulait dire Freud quand il déclarait que ce verdict d'un conflit instinctif ne vaudrait que « dans le contexte d'une certaine relation entre les forces de l'instinct et les forces du moi. Si les forces du

dont on trouve l'analyse dans certaines productions histo-
riques de l'esprit, mais qu'on peut aussi décrire en termes
structurels :

Historiquement, l'art tragique ne pouvait naître qu'à partir
du moment où le moi s'était déjà suffisamment dégagé de la
psyché collective pour pouvoir faire vraiment sienne la loi du
groupe, tout en restant (encore) trop faible pour y satisfaire. Il
fait déjà voir que ce n'est pas l'individualité comme telle,
mais sa *faiblesse*, qui engendre le drame. Les dieux ne font
que concrétiser à tour de rôle les forces instinctives et les instances morales extérieures au moi : c'est l'inconscient qui,
par défaut de personnalité, détermine la destinée du moi, et
c'est le surmoi qui précipite le moi dans l'abîme de la perdi-
tion.

Structurellement, l'existence de quelqu'un prend un caractère tragique lorsque le moi, dans ses efforts pour accomplir
le bien, se trouve livré sans ressources aux exigences du ça et
du surmoi.

D'une certaine façon, on pourrait alors supposer que cet
état de faiblesse structurelle du moi n'est rien d'autre qu'un
signe de *névrose*[15]. Il faudrait donc dire que, venant oppresser
le moi, toute névrose comporte un aspect tragique, ou, inversement, que toute tragédie comporte un aspect névrotique.
N'oublions pas cependant que le domaine de la tragédie
déborde largement celui du pathologique pris au sens strict du
terme : il inclut ceux qui, à l'instar des héros mythiques, ont
eu à lutter « contre Dieu et contre les hommes » avant de
l'emporter sur eux (Gn 32,29). C'est pourquoi, même si nous
cherchons à éclairer le tragique en nous appuyant sur la psychologie des névroses, nous n'en devons pas moins toujours
nous souvenir que les conflits dont nous traitons sont fondamentalement ceux de tout le monde : il faudrait alors tout au
plus dire d'eux qu'ils sont névroïdes, plutôt que névrotiques.

---

moi cèdent, du fait de maladie, d'épuisement, ou de tout autre chose du
même genre, on peut voir tous les instincts jusque-là muselés rebondir et
s'efforcer de trouver satisfaction par des voies anormales. S. FREUD,
Analyse avec fin et analyse sans fin (1937), dans *Résultats, idées, problèmes*, trad. coll., Presses universitaires de France, 1985, t. II p. 231-268.
   15. Cette névrose tient à la division du moi tiraillé entre des représentations opposées. Voir FREUD, *Abrégé de psychanalyse*, trad. A. Berman,
Presses universitaires de France, 1949.

C'est donc pour bien faire voir le drame qui peut être celui même de personnes normales que nous étudierons deux mécanismes psychiques qui sont sans doute prioritairement sous-jacents aux névroses, mais dont le mystérieux effet tragique déborde largement cet univers pathologique : le couple antithétique du refoulement et de l'attitude, et les processus de compensation et de décompensation.

On ne saurait certes réduire le tragique aux effets de ces deux couples de mécanismes antithétiques. Ceux-ci n'en sont pas moins extrêmement importants. Leur étude nous permettra de mieux comprendre la généralité du comportement humain et d'en mieux faire ressortir les aspects psychologiquement tragiques.

Le couple antithétique refoulement-attitude.

Au cœur de l'expérience tragique, il y a la volonté de lutter de toutes ses forces contre un acte qu'on se refuse à commettre, mais que, comme sous l'effet d'une contrainte inéluctable, on se trouve cependant contraint de poser, sans pouvoir ni connaître ni comprendre la raison de cet échec des efforts que l'on a faits. La psychologie décrit ce qui se passe ici en parlant d'une dialectique du refoulement et de l'inhibition, et il faut commencer par bien la comprendre pour pouvoir ensuite saisir ce qu'il y a de tragique dans la faute humaine.

En psychopathologie, on parle de *refoulement* lorsque certaines impulsions instinctives suscitent immédiatement des réactions de peur au point que, dès leur premier surgissement, et avant même qu'on puisse en prendre conscience et y répondre par l'action, on s'en interdit même la simple idée. Consciemment, le moi peut alors se croire totalement préservé de ces tendances et de ces désirs. Il ignore également tout de l'acte par lequel il les a réprimés, et, de façon générale, son mécanisme de refoulement[16]. Il en arrive même à

---

16. En ce qui concerne le lien entre l'angoisse, le refoulement et l'inhibition, voir A. Dührsen, *Psychogene Erkränkungen bei Kindern und Jugendlichen. Eine Einführung in die allgemeine und spezielle Neurosenlehre*, Göttingen, 1954 p. 49 ; S. Freud, *Nouvelles Conférences sur la psychanalyse*, trad. A. Berman, Gallimard, 1936, p. 108-146 (quatrième conférence) ; W. Schwidder, « Hemmung, Haltung und Symptom », dans *Fortschritte der Psychoanalyse. Internationales*

s'insurger contre la façon, à ses yeux dangereuse et mauvaise, dont son entourage admet ces impulsions : les ayant lui-même réfrénées, il se considère comme supérieur aux autres. De son refoulement il fait vertu, et il pense donc avoir le droit de mépriser, au moins en secret, l'attitude des autres. Cette incompréhension et les conflits qui en découlent peuvent prendre une dimension tragique.

Cependant la tragédie proprement dite ne commence pas tellement par cette incompréhension de l'entourage ni par les conflits qui en résultent. Elle tient à la nature même du refoulement. Car, tout comme aucune digue ne saurait jamais interdire à un fleuve de continuer à couler, aucun blocage ne saurait jamais arrêter l'élan de l'instinct. S'accumulant, l'eau finit par passer par-dessus la digue, à moins qu'elle ne s'infiltre sur les côtés. De même, un instinct trouve des voies cachées pour tourner l'obstacle suscité par l'angoisse ressentie devant lui, et pour se tailler une voie vers son but originel. La psychologie analyse ces voies en étudiant les symptômes névrotiques et les différentes formes de recherche de satisfactions substitutives, et plus encore la formation des attitudes correspondantes.

Freud pensait déjà que les *symptômes,* tout comme les rêves symboliques, étaient une manière de satisfaire des désirs secrets en rendant possible un compromis entre le désir et la censure[17].

Prenons un exemple trivial, mais qui n'en est que plus éclairant. Une femme hystérique aime en secret un homme marié, mais cherche de toutes ses forces à refouler cette inclination. Quand elle l'approche, elle est convaincue d'éprouver un sentiment, non de chaleur et de tendresse, mais de froideur. Elle en a les jambes qui vacillent. Aussi en arrive-t-elle un soir tout naturellement à tomber dans les bras de celui qu'elle adore au fond d'elle-même. Elle peut ainsi satisfaire son désir, mais de telle sorte que cela reste indépendant de sa

Jahrbuch zur Weiterentwicklung der Psychoanalyse, t. I, Göttingen, 1964, p. 115-128 ; et plus particulièrement S. FREUD, *Inhibition symptôme et angoisse*, trad. M. Tort, Presses universitaires de France, 1951.

17. « Ce symptôme n'est au fond, tout comme un rêve, qu'une satisfaction d'un désir », S. FREUD *Introduction à la psychanalyse*, trad. S. Jankélévitch, Payot, 1922, Coll. « PBP », p. 279.

volonté consciente : elle ne le fait qu'en ayant perdu connaissance[18]. Sa crise d'évanouissement permet donc de conjuguer la satisfaction de son désir et sa répression. Elle répond objectivement à un vœu qu'elle s'interdisait consciemment de reconnaître.

Les symptômes névrotiques traduisent donc certains désirs que le patient n'admettait pas vraiment. Ils peuvent alors révéler une vie de souffrances, ou même une véritable torture intérieure. Impossible pourtant de parler de véritable tragédie à leurs propos. Ils manifestent bien le conflit qui existe entre ce que l'on veut, subjectivement parlant, et ce qui se passe, objectivement parlant ; mais, aux yeux du sujet, ce conflit n'existe pas : il reste encore caché à la conscience[19]. Il reste de l'ordre du malheur dont on n'est pas responsable, et non de celui de l'échec en soi. La symbolique de la névrose ne constitue donc qu'une introduction à l'expérience proprement tragique.

En revanche, la psychodynamique de l'attitude nous introduit directement dans ce domaine du tragique. L'attitude elle aussi fait voir comment on peut assouvir un désir inconscient, mais de façon telle que c'est désormais en contournant la digue dressée contre son désir que le moi accomplit effectivement ce qu'il voulait à tout prix éviter. Elle n'en est pas moins l'exacte antithèse de l'inhibition. Car, tandis que celle-ci empêchait la conscience de reconnaître la

18. Dans son analyse du cas de Dora, FREUD avait déjà montré comment l'évanouissement pouvait être un moyen de provoquer la pitié. Voir *Fragment d'une analyse d'hystérie (Dora)*, trad. M. Bonaparte et R. Lœwenstein, dans *Cinq psychanalyses*, Presses universitaires de France, 1954, p. 1-91.

19. C'est ce qui apparaît de façon particulièrement claire dans la poésie de Heinrich von Kleist. C'est ainsi que lorsque Alcmène apprend qu'elle a aimé Jupiter au lieu de son époux Amphitryon, elle tombe dans les bras de celui-ci en lui criant : « Protège-moi, toi le divin » (H. von KLEIST, *Amphitryon*, acte III, sc. XI, v. 2314 trad. H. A. Baatsch, Éd. Actes Sud, 1990) ; l'inconscience atténue ici la responsabilité subjective d'un acte qui relève totalement du « dieu », du « ça ». Qu'on pense aussi à l'évanouissement de la Marquise d'O, lorsqu'elle devient la maîtresse d'un officier russe qui lui est apparu sous forme d'ange (H. von KLEIST, *La Marquise d'O*, trad. G. La Flize, Aubier-Flammarion, p. 92-173). Le thème du complexe d'Œdipe, du mariage incestueux, reste encore étranger à une conscience qui s'en trouve innocente. L'évanouissement constitue ici la preuve que l'on a gardé la pureté de cœur, en dépit de l'évidence accusatrice du fait objectif.

pulsion instinctive sous-jacente à tous les faits et gestes de la personne, l'attitude met en évidence son omniprésence[20]. Il n'est donc de névrose qui n'implique une attitude lui correspondant[21].

Reprenons le cas de notre hystérique. Elle ignore que ce n'est pas simple hasard si elle rencontre ce soir-là celui qu'elle aime. Mais un tiers qui observerait son comportement, la façon dont elle s'est habillée, ses gestes, sa mimique, son ton de voix, ne s'y tromperait pas : sans pouvoir l'admettre, elle flirte, en bonne et due forme. On peut même être assuré qu'elle ne se contentera pas de le faire avec l'élu de son cœur : elle fera les mêmes avances à tous les hommes qui présenteront les mêmes traits que lui – sans doute ceux qui lui rappelleront son père. Son attitude semble parfaitement claire : elle court après les hommes, ou elle cherche tout au moins l'aventure avec certains d'entre eux. Mais si on le lui dit, elle en sera choquée ; elle protestera avec vigueur contre cette scandaleuse insinuation. Subjectivement, elle a parfaitement raison ; car, consciemment, elle ne cherche rien tant à éviter que d'entrer en relation (interdite) avec un autre que son élu. Mais c'est justement ce contraste entre son effort conscient et son attitude inconsciente qui la jette continuellement dans des embarras dont on a envie de dire qu'ils sont tragiques, dans la mesure où on n'y voit pas simplement une comédie amusante. Elle retombe sans cesse dans les situations qu'elle prétend à toutes forces éviter. Or c'est le contraire qui lui arrive : ne pouvant trouver de satisfaction

---

20. H. Schulte-Hencke a décrit l'attitude comme un « résidu de l'instinct » et « reste d'une pulsion et d'un besoin devenus latents » (H. SCHULTE-HENCKE, *Lehrbuch der analytischen Psychotherapie*, 1951, Stuttgart 1965, p. 80). L'expression joue un rôle capital dans la nouvelle psychanalyse.

21. Étant donné que les attitudes constituent les contrepoints du refoulement, on peut les caractériser en fonction des différentes formes que prend celui-ci. On parlera par exemple de l'attitude orale du dépressif, de l'attitude sado-anale de l'obsédé ou de l'attitude sexuelle de l'hystérique. En littérature, il n'est guère question de l'attitude intentionnelle du schizoïde, parce que, chez celui-ci, l'antithèse du refoulement et de l'attitude n'affecte pas seulement un domaine particulier de l'instinctivité, mais bien la vision totale qu'il a de lui-même et du monde environnant : il est marqué par un violent désir inconscient de communication et de chaleur, alors que, consciemment, il tend à rester distant et indifférent.

vraiment satisfaisante qu'avec un homme unique, elle cherche celui-ci dans tous ceux qu'elle rencontre. Comme dans la tragédie antique, elle est livrée à des puissances qui ne cessent de l'induire objectivement en faute, alors que, subjectivement, elle fait tout ce qu'elle peut pour éviter ce qu'elle redoute. Mais le comble de la fatalité, c'est que son effort conscient, non seulement l'amène à livrer une bataille perdue d'avance contre les forces supérieures de l'inconscient, mais renforce même celles-ci.

Voilà bien en quoi le va-et-vient entre le refoulement et l'attitude se révèle tragique : c'est finalement l'effort même pour faire le bien qui rend le mal inévitable. Malheureusement, cet enchaînement n'est pas propre à la seule hystérie. On le retrouve dans toutes les névroses.

Résumons quelques exemples typiques. De quoi un déprimé a-t-il plus peur que d'être à charge de quelqu'un ? Dans sa crainte d'en trop demander aux autres, il fera tout pour taire ses désirs ou tout au moins pour les contenir le plus possible. Mais qui a affaire à lui sent clairement ce que son interlocuteur a sur le cœur. Il lui faut alors, soit apprendre l'art de lire les pensées et devenir maître ès-intuitions, soit se torturer les méninges pour réussir à faire sortir à l'autre ce qu'il veut vraiment. Il lui faut briser ce qu'on peut appeler l'envoûtement de l'inconscient : car c'est justement le refus de peser sur les autres qui conduit le déprimé en même temps à faire objectivement tout ce qu'il peut pour n'être que le moins possible à charge et, du simple fait du blocage de son discours oral, à le faire apparaître comme une sorte de vampire à celui qui a constamment affaire à lui.

Prenons encore le cas de la *névrose obsessionnelle*. Celui qui en est atteint se donne tout le mal possible pour paraître un exemple de discrétion. C'est du fond du cœur qu'il traite de sottise la vanité hystérique des autres. En fait, sa modestie ne fait que lui fournir des occasions pour humilier ses voisins sur leurs points les plus sensibles, les critiquer, leur reprocher leurs moindres défauts, mettre en doute leurs capacités, leur faire sentir leur infériorité en étalant ses propres performances, etc. Sous les apparences d'une personne soucieuse d'accomplir humblement son devoir, on trouvera difficilement despote plus pesant et plus prétentieux que celui qui a refoulé sa prétention au pouvoir.

Les moindres détails de l'attitude inconsciente de tous ceux qui souffrent d'une de ces formes de névroses font éclater au grand jour la loi qui régit leur destinée. Mais eux sont incapables de la voir. Ils ne peuvent pas plus y échapper. Victimes, ils se sentent coupables. Leur angoisse ne le cède en rien à la grandeur et à la souffrance des héros des tragédies antiques. Pensons à quelques cas précis : ils sont aussi bouleversants que ceux que mettaient en scène les dramaturges antiques.

Prenons l'exemple d'une femme en pleine dépression. Vingt ans durant, elle n'a voulu vivre que pour son époux. Elle a cherché à lire ses désirs dans ses yeux. Elle lui est restée fidèle, comme un chien perdu qu'un premier maître a chassé et qu'un autre a recueilli dans la rue. Au moindre reproche, elle était saisie de terreur panique, se considérant comme irrémédiablement coupable. Or elle apprend un jour que son mari veut se séparer d'elle, parce que, dit-il, elle est trop égoïste, incapable d'amour, possessive, que ses enfants lui reprochent d'avoir tout fait pour les garder sous cloche, dans un état de dépendance infantile. Bref, en dépit de sa bonne volonté, elle a tout raté. On dit tragique le cas de Médée, la déesse de la lune : pour son époux, Jason, l'Argonaute, elle a enchanté les dragons qui gardaient la toison d'or ; elle a quitté son pays, Klochis. Dans sa fuite, elle a tué son frère Apsyrtos pour empêcher son père, Æétès, de se lancer à sa poursuite. Elle a dépecé ses enfants en pensant les rendre immortels. Bref, elle a tout fait. Selon une autre tradition, elle fut si profondément déçue par la liaison de Jason et de Créüse qu'elle-même, l'amoureuse inconditionnée, se transforma en furie haineuse. Elle envoya à sa rivale une tunique et un diadème empoisonnés, la faisant ainsi brûler vive en même temps que son père. C'est dans sa fureur vengeresse qu'elle aurait découpé ses enfants en morceaux[22]. En définitive, sa tragédie tient donc à sa fidélité. C'est sa dépendance même qui finit par lui conférer les traits d'une meurtrière et d'une dévoreuse d'hommes. Mais n'est-ce pas aussi le cas de notre déprimée ? Elle aussi finit par voir toutes ses

---

22. Médée était une petite-fille du Soleil et, en dépit de sa proximité avec la saga du héros, elle avait « une étroite relation avec la lune » (K. KERÉNYI, *Die Mythologie des Griechen*, t. I : *Die Götter und Menscheitgeschichten*, Munich, 1966, p. 154). La destinée de Médée nous

intentions et ses efforts se retourner fatalement contre elle :
elle a empoisonné la vie de son mari et elle a brisé celle de ses
enfants.

Revenons à l'*obsession*. Prenons un cas. Tant bien que mal,
cet homme a apparemment réussi à mener à bien sa tâche professionnelle au service de tous. Il est convaincu qu'il verra la
récompense de ses efforts : un jour, il récoltera en abondance
estime et reconnaissance. Or il voit soudain que la perfection
même avec laquelle il accomplit son devoir ne lui vaut que la
haine des autres : ils n'attendent que sa première gaffe professionnelle ou sa moindre défaillance physique pour se précipiter sur lui comme des loups sur un agneau et pour lui ravir
sa place. Pourquoi ne serait-il pas aussi amer que Midas, le
roi légendaire qui, le matin demandait aux dieux de changer
en or tout ce qu'il touchait (vœu quelque peu « anal »), et le
soir même les suppliait de le délivrer de cette malédiction :
débordant de richesses, il ne pouvait plus rien manger[23].
Tragédie ? C'est bien le cas de la névrose que nous décri-
vions. Elle provoque la même perversion des efforts et des
résultats[24]. On y retrouve la même dialectique entre ce qu'on
souhaite explicitement et ce que provoquent les puissances de
l'inconscient. Inversement, rien ne permet mieux de saisir les
ressorts cachés de la tragédie que l'analyse de la névrose
obsessionnelle.

La psychanalyse permet donc de comprendre ce qu'il peut y
avoir d'étrange dans cette destinée tragique que constitue la
névrose[25]. La tragédie classique renvoyait à un événement
situé aux origines des temps ; elle y trouvait l'explication du
sort par lequel le lointain descendant du coupable devait expier
une faute qu'il n'avait pas commise. De même, l'antithèse du

---

est rapportée par APOLLODORE, *Bibliothek,* I, p. 129-147, et HYGIN, *Sagen,*
p. 21-27, dans L. MADER (traducteur), *Grieschische Sagen,* Zürich 1963,
p. 31-35 ; 250-255.

23. Sur le sort du roi Midas, voir OVIDE, *Les Métamorphoses,* XI,
v. 85-145.

24. Sur l'opposition entre l'objectif et le résultat, véritable « contre-
finalité », voir DREWERMANN, *Strukturen des Bösen,* II, p. 571-572.

25. Dans le cas de E. T. A. Hoffman, S. Freud a montré comment dans
le conte de *L'Homme au sable,* l'impression d'étrangeté tient au souvenir
de matériau infantile archaïque. Voir *L'Inquiétante Étrangeté* (1919),
dans *Essais de psychanalyse appliquée,* trad. E. Marty et M. Bonaparte,
Gallimard, 1933, p. 163-210 (p. 182-184).

refoulement et de l'attitude renvoie à certaines situations archaïques, infantiles ou juvéniles, qui se reproduisent exactement telles quelles. La névrose obsessionnelle[26] n'est qu'une répétition. Les forces qui dominent obscurément le moi viennent en fait venger tardivement un méfait commis (au moins objectivement) dans la nuit des temps par les ancêtres (ou par leurs substituts ou leurs successeurs). On peut alors dire que se réalise à la lettre la parole selon laquelle les dieux se vengent de la faute du père sur les enfants et les petits-enfants, jusqu'à la troisième ou à la quatrième génération (voir Ex 20,5).

Compensation et décompensation ; remarques sur l'*ombre* et sur l'*anima*.

La façon dont la décompensation vient répondre à la compensation ne fait que prolonger l'enchaînement tragique qui liait le refoulement et l'attitude. Mais ce nouveau passage d'une attitude à son contraire n'est pas moins lourd de conséquences. Il ne fait qu'élargir le domaine du tragique.

Celui qui refoule un instinct quelconque suscite au fond de lui-même un manque. Frustrée, sa sensibilité exige quelque chose qui soit susceptible de remplacer ce qui lui fait défaut : elle réclame ce qu'on appelle une compensation[27].

Prenons le cas d'un jeune, sexuellement refoulé. Incapable d'oser aimer, il pourra mettre son point d'honneur à devenir un élève modèle. À défaut de communication avec l'autre

26. Freud insiste particulièrement sur le désarroi du moi face à la compulsion répétitive (*ibid.*).

27. Adler a commencé par développer la théorie de la compensation à propos du sentiment d'infériorité. Mais il l'a bientôt définie comme exaltation du sentiment de la personnalité, comme tendance à la sécurité venant s'opposer au sentiment d'infériorité aussi bien organique que psychique. Voir Alfred ADLER, *Connaissance de l'homme; étude de caractérologie individuelle*, trad. J. Marty, Payot, 1949, coll. « PBP » p. 68-69. Freud n'a vu dans la théorie de la compensation qu'une variante de sa propre doctrine sur le complexe d'Œdipe : la « protestation virile » adlérienne indiquerait une réaction contre le complexe de castration : voir FREUD, *Ma vie et la psychanalyse*, trad. M. Bonaparte, Gallimard, 1950, coll. « Idées ». Mais lui-même était très préoccupé par l'expérience de l'infériorité organique. Cependant le thème proprement dit de la compensation se pose bien à partir des carences psychiques engendrées par certains refoulements originaires concernant un domaine vital. Jung a vu

sexe (et avec les camarades de son âge), seules les félicitations de ses parents et de ses maîtres lui permettront de sauvegarder son fragile équilibre. Cependant son ambition et son zèle, pour méritoires et vertueux qu'ils soient, peuvent inquiéter par leur caractère étroit et prétentieux. On sent dans son attitude quelque chose de malsain, de surfait, de forcé. Sans cette compensation dans un secteur privilégié, ce garçon ne pourrait supporter son manque de contacts et sombrerait dans un océan d'insignifiance. On peut toutefois s'attendre à voir s'effondrer tout d'un coup les résultats de cette compensation artificielle. Le voilà peut-être devenu maître d'école ou professeur ; mais il est bien rare de voir un tel adulte réussir à maintenir rigidement son attitude pubertaire. Une occasion relativement minime, peut-être une simple remarque un peu méprisante ou un insuccès, suffira à faire s'effondrer la belle construction compensatrice. Le succès lui-même n'est pas sans danger, car il peut susciter le désir de pouvoir jouir enfin des fruits de l'effort. Ressurgissent alors de façon incontrolée ces forces menaçantes que l'on avait jusque-là soigneusement verrouillées : c'est le début de la décompensation. Ce sur quoi on avait exagérément tout misé perd son importance. En revanche les poussées instinctives, jusque-là soigneusement bridées, font éclater l'inconscient de façon aussi monstrueuse que le célèbre esprit des contes des *Mille et Une Nuits* venant finalement se venger d'avoir été enfermé trop longtemps dans une bouteille.

Dans certains cas, le caractère tragique de cette réaction échappe totalement à l'observateur extérieur : la décompensation ne se manifeste que de façon assez progressive. La personne semble y consentir, ou même y prendre plaisir. Mais on peut cependant avoir l'impression qu'elle est plus le théâtre que l'actrice de la pièce qui se joue. On ne saurait dire qu'elle fait vraiment sien le travail cathartique de la

dans la compensation une autorégulation naturelle et utile de l'appareil psychique avant tout face au caractère unilatéral des représentations conscientes. Pour lui, la (sur)compensation n'est névrotique que lorsqu'elle est faussée du fait d'un contraste trop violent. C. G. JUNG, « Definitionen », in « Psychologischen Typen », *Ges. Werke* VI, Olten-Freiburg 1960, p. 484-486. Trad. française : *Les Types psychologiques* (1921-1950), trad. Y. Le Lay, Genève, Éd. Librairie de l'université, Georg & Cie S.A., 1950.

pulsion auparavant réprimée. Elle semble même désarmée devant ce qui se passe : elle y consent passivement en laissant les choses suivre leur cours. Elle n'a pas la force nécessaire pour trouver un compromis relativement stable entre la pulsion instinctuelle, la réalité et l'angoisse qu'elle ressent devant le surmoi. C'est pourquoi, en dépit de ses efforts, elle peut se sentir terriblement vide. Le sentiment d'absurdité qu'elle ressent alors est vraiment tragique.

L'observateur extérieur, lui, ne pourra vraiment entrevoir le caractère tragique de ce qui se passe que si la décharge de l'instinct dont le cours était entravé se produit sous forme brutale et explosive. C. G. Jung a décrit les deux formes principales et habituelles d'une telle irruption du refoulé en parlant de rencontre avec l'ombre et de rencontre avec l'*anima*.

Une compensation représente toujours une façon de s'adapter unilatéralement aux exigences de la réalité extérieure (sociale). Elle conduit donc nécessairement à négliger certains aspects du moi. Aux méfaits du refoulement auxquels la compensation s'efforce de répondre, il faut donc ajouter l'abandon de certains domaines du psychisme, véritablement laissés en friche ou même rendus au désert, du simple fait que la personne a concentré tous ses efforts sur un domaine bien limité. Cette répartition du psychisme est ce qui provoque l'*ombre*. Cette notion recouvre ce que Freud qualifiait d'inconscient, mais le dépasse : elle désigne en effet, non seulement la pulsion refoulée, mais aussi tout ce que le moi a négligé de mettre en valeur[28].

C'est de cette ombre que parlent contes et mythes populaires quand ils font intervenir le frère ennemi ou le cousin, en tout cas toujours un adversaire, un « suiveur » rival, pour reprendre une expression de Szondi[29]. Ce personnage vit et pense exactement le contraire du premier. Il est l'inconscient présent sous le conscient, l'exacte antithèse de ce que la conscience peut admettre. Il rappelle sa présence de façon feutrée : symptômes, maladie chronique, décompensation

28. Voir C. G. Jung, « Über die Psychologie der Unbewussten » (1943), in *Ges. Werke* VII, Olten-Freiburg 1967, p. 58. Trad. française : *Psychologie de l'inconscient* (1943), trad. R. Cahen, Éd. Librairie de l'université, Georg & Cie S.A., *Der Schatten* (1948), in *Ges. Werke* IX 2, p. 17-19.

29. L. Szondi, *Triebpathologie*, I. « Elemente des exakten Triebpsychologie und Triebpsychiatrie », Bern, 1952, p. 27, 116, 138.

rampante. Mais il peut aussi se manifester soudain de façon soudaine. Une simple réplique le fera bondir au premier plan de la scène tournante de la vie (Szondi) : le suiveur surgit des coulisses, aussi inattendu du public que du moi. Abel, le pieux, fait soudain place à un Caïn furieux[30], Sophronie se transforme en Norine[31], mais inversement aussi un Saül se convertit et devient Paul. Ce retournement fait sauter les digues qui contenaient les eaux. Celles-ci se déversent dans la vallée, torrent qui emporte tout sur son passage. Apparemment, il s'agit d'une modification brutale de la totalité de l'être ; en réalité ce n'est *que* l'alternance des deux moitiés complémentaires de la personne. C'est bien ce qui confère à ce changement son caractère tragique (ou comique) : le moi ne sait pas, et ne peut pas savoir qu'il a lui-même façonné les traits de cette face d'ombre, apparemment tellement étrangère qu'il la rejetait. Bien plus, il les a façonnés précisément par le refus qu'il lui opposait.

Mais cela ne se produit pas que dans les contes. La réalité de l'ombre est bien concrète : un frère, une sœur[32], ou des parents dont on s'est fait une image contraire.

Prenons le cas d'un jeune qui hait son père, un véritable ivrogne, mais aussi son frère aîné : leur violence et leurs méfaits ne cessent de faire souffrir sa mère et conduit la famille à la ruine. Il entend bien ne pas leur ressembler. Lui remplira son devoir, sera un époux fidèle. Et voilà qu'il épouse une femme pour laquelle il éprouve une pitié similaire à celle qu'il ressentait jadis pour sa mère. Il peut ainsi satisfaire son besoin de protéger, donc de se sentir responsable. Mais, dans son effort pour se différencier totalement de son père et de son frère, il finit par s'user. Ayant trop compati, il en devient ensuite incapable. Il se produit ce que Benjamin Constant a si bien décrit dans son personnage classique

---

30. L. Szondi, *Lehrbuch der experimentellen Triebdiagnostik*, t. I Bern-Stuttgart, 1960, p. 103. E. Drewermann, *Strukturen des Bösen*, II, p. 257-260.

31. Personnage de l'opéra-bouffe de Gaetano Donizzetti, *Don Pasquale* : pour détourner Don Pasquale, un homme au cœur dur, de ses égoïstes projets de mariage, l'héroïne commence par jouer le rôle Sophronie, la fille du pays innocente et vertueuse, pour se transformer au lendemain d'un mariage fictif en Norine, lunatique et tyrannique.

32. En ce qui concerne la figure du double et du frère ennemi dans les contes, les mythes et la poésie, voir E. Drewermann, *Strukturen des Bösen*, III, p. 278-299.

Adolphe[33]. Désormais, il suffit de la moindre occasion pour que survienne le « suiveur ». Alors se déchaînent les pulsions que jusque-là il s'était efforcé de réprimer de toutes ses forces.

La façon dont s'articulent ainsi refoulement et compensation permet de comprendre le caractère tragique des réactions humaines, si semblables à celle de la « mère des vivants » en Gn 3,1-7 : Ève commence par faire front à la parole du serpent et se refuse au départ à toucher à l'arbre interdit ; puis elle finit par manger de son fruit[34]. C'est aussi ce qu'illustre le Nouveau Testament en montrant Pierre qui commence par jurer de ne jamais laisser mourir Jésus, puis peu après le renier violemment, ce qui était bien prévisible, étant donné son acharnement à en refuser la simple idée : c'est son angoisse même qui le paralysait et le prédisposait à la chute imminente.

La confrontation à l'*anima* nous fait descendre encore plus profondément dans l'inconscient. Dans les contes et les mythes, cette figure surgit le plus souvent dans la foulée de l'ombre. Elle n'est plus de nature purement individuelle, et elle est même l'antithèse de la personne, si l'on entend par ce mot le masque que prescrit la société, celui du rôle ou de la profession, donc ce qui relève de l'inconscient collectif[35]. La littérature populaire la décrit souvent comme une jeune fille victime d'un enchantement et exilée au bout du monde. C'est le cas de Médée. Selon que le « héros », autrement dit le moi, la conscience, parvient ou non à la trouver et à la sauver, autrement dit, subjectivement parlant, à l'intégrer, elle exerce une force salvatrice ou destructrice. Jason, l'Argonaute, finit par se briser contre elle. Tristan, l'immortel héros médiéval, présente le cas contraire. Ayant tué le Morhoult, géant irlandais qui incarne l'ombre, il est atteint de gangrène. Embarqué avec sa lyre sur un esquif, il vogue au gré des flots (l'inconscient)

---

33. Benjamin CONSTANT, *Adolphe*, 1816 (PUF, 1947).
34. Voir l'exégèse de ce texte dans E. DREWERMANN, *Strukturen des Bösen*, III, p. 278-299.
35. En ce qui concerne l'anima, voir C. G. JUNG, *Dialectique du moi et de l'inconscient* (1933), trad. R. Cahen, Gallimard, 1964, coll. « Idées », et « Über den Archetypus mit besonderer Berücksichtigung des Anima-begriffes », (1936) *Gesammelte Werke*, IX,1 : *Die Archetypen und das kollektive Unbewußte*, 1976, p. 67-87.

jusqu'au moment où Iseut aux cheveux d'or (figure positive de l'anima) le recueille. Nièce du Morhoult, celle-ci nourrit certes de la haine pour le meurtrier de son oncle. Mais elle ne reconnaît pas Tristan. Sans le savoir et contre sa propre volonté, elle le guérit donc en recourant à une herbe secrète[36].

Tout comme pour l'ombre, la principale difficulté de la rencontre avec l'anima tient à son caractère imprévu : une vision trop étroite de la vie ne faisait voir en elle qu'une réalité étrangère et dangereuse. Mais il faut y ajouter une difficulté supplémentaire qui vient renforcer son caractère tragique : le problème de la reconnaissance sociale. Étant donnée l'importance capitale que l'entourage confère à la réputation, l'anima ne peut apparaître comme une hérétique redoutable, une vraie jeteuse de sort. C'est alors que peuvent éclater des conflits d'une violence confinant au drame. Au lendemain de sa victoire sur le dragon, Tristan veut ramener Iseut à Tintagel où se trouve le roi Marc. Mais il a bu le philtre d'amour préparé par la mère d'Iseut. Contre sa volonté, il tombe alors éperdument amoureux de la belle fiancée. Celle-ci doit à son tour cesser toute résistance contre son libérateur[37]. L'anima est toute-puissante, pour sauver comme pour perdre.

L'opposition entre la *persona* et l'*anima*, entre l'adaptation consciente au rôle social et la forme spirituelle inconsciente peut naturellement surgir chez ceux dont l'état de vie suppose le renoncement au monde de l'instinct, comme c'est le cas chez les clercs de l'Église catholique, ou chez certaines personnes qui se sont entièrement consacrées à leur carrière, qu'elle soit politique, économique ou autre. Quelle stupeur dans certaines paroisses, à la nouvelle que le curé ou le vicaire, pourtant universellement apprécié pour son zèle, est tombé d'un seul coup dans les bras d'une femme qui n'en vaut apparemment pas la peine, et que, contre tout bon sens, il a quitté le ministère qu'il aimait plutôt que de couper court à cette relation malheureuse, ce qu'il aurait pourtant dû faire s'il avait tenu compte de son expérience pastorale. Dans de tels cas, c'est l'excès même de bonne volonté professionnelle qui a provoqué l'hypertrophie de la personne, et il a dès lors

---

36. Voir la magnifique reconstitution du récit de J. Bédier : *Le Roman de Tristan et Iseut*, Éd. VGE 1981.
37. *Ibid.*, p. 44-49.

suffi d'une seule rencontre, de la découverte apparemment fugitive d'une anima, pour que celle-ci prenne une signification fatale et souvent tragique. On voit de même des couples modèles sombrer dans l'imbroglio, parce que l'un des deux époux s'est soudain heurté à elle[38].

Prenons l'exemple d'une femme, en toute bonne foi sûre de n'avoir jamais aimé qu'un homme, celui auquel elle s'est attachée dès sa première rencontre dans le train : il incarne pour elle tous les traits spécifiques de l'anima : spiritualité, culture, largeur de vue, expérience, etc. Elle a passé presque la moitié de sa vie à protéger son couple, celui du bien-aimé. Séparée de lui, elle ne pouvait lire un livre sans le faire en union avec lui, assister à un concert sans qu'il y soit spirituellement présent, avoir un moment libre sans évoquer sa présence. Et lui, pour sa part, s'est montré attentif et fidèle. Il s'est donné tout le mal possible pour la faire réussir professionnellement. Il y parvient. Il veut fêter l'événement. Il invite des amis. À l'occasion de cette réception, il rencontre par hasard une femme qui lui fait d'un seul coup oublier toute sa vie passée : elle incarne pour lui vitalité, joie de vivre, spontanéité, sensualité, bref, tout ce à quoi il aspirait depuis sa plus tendre enfance.

À côté de son caractère soudain et invincible, la passion pour l'anima (ou pour l'*animus*), se caractérise par le fait qu'elle vient affecter des personnalités marquantes, le plus souvent éminentes et apparemment incontestables. C'est l'irréprochable chevalier Lancelot du Lac qui tombe amoureux de Guenièvre, la femme de son roi, dès le premier instant où il l'aperçoit ; et, malgré leurs efforts, ni l'un ni l'autre ne peuvent réprimer leur passion[39]. Quant au docteur Faustus, le grand savant, c'est une simple femme, Marguerite, qui détermine son destin. Cela dit, dans les contes, les mythes et les

---

38. Voir E. DREWERMANN, « Ehe, Tiefenpsychologie Erkenntisse für Dogmatik und Moraltheologie » dans *Renovatio*, n° 36, 2 juin 1980, p. 65-67.

39. Quand Lancelot, qui ne connaît pas ses vrais parents et qui a été élevé par Viviane du Lac, laquelle lui a tenu lieu de mère, aperçoit la reine Guenièvre, il oublie son nom, se précipite tout étonné vers Douloureuse-Garde, comme pour fuir Guenièvre, libère le château de l'enchantement par sous lequel le tenait une statue de chevalier en airain. Il retrouve alors son nom sur une pierre mémoriale. À son retour, il manque de se noyer dans un fleuve, parce qu'il a maladroitement arrêté son regard sur

romans, la rencontre avec l'ombre ou avec l'anima ne signifie pas nécessairement l'échec ou l'anéantissement : elle n'est
souvent qu'une étape de la longue aventure de la découverte
de soi. Mais, chez tous ceux qui la vivent, elle conserve toujours un lien avec la faute involontaire et la passion non voulue ; et si le Faust de Goethe garde la certitude que ses efforts
lui vaudront finalement la rédemption, celle-ci ne saurait pro-
venir que d'un monde sis au-delà du visible[40].

LE TRAGIQUE COMME RESPONSABILITÉ DE L'IRRESPONSABLE ; LA SCISSION DE LA MORALITÉ

Le problème du tragique ne se limite évidemment pas au
conflit de l'individu et de son inconscient. La mythologie
antique a bien raison quand elle le présente comme étant lié à
la collectivité.

En plus des traits névrotiques ou névroïdes que l'individu
découvre immédiatement à travers le comportement de sa
propre famille, il peut arriver que certaines façons de faire
provoquent elles-mêmes des situations dans lesquelles une
faute déjà présente se trouve comme absorbée dans une nouvelle faute. Des situations de ce genre ne conduisent pas seulement la personne de bonne volonté morale à échouer subjectivement (sur les soubassements psychiques de sa

Guenièvre qui l'attend. Lors de son accueil à la cour, à la vue de la reine,
il laisse échapper sa lance qui lui déchire sa tunique de soie. Ils cherchent
tous deux à s'éviter autant qu'ils le peuvent, mais cela ne fait que les précipiter davantage l'un vers l'autre. (Voir R. SCHIRMER, *Lancelot und
Ginevra. Ein Liebesroman am Artushof*, Zürich 1961). Cf. la version française : *Lancelot du Lac*, LGF 1991 (livre de poche).

40. Le chœur des anges du *Second Faust* chante : « Il est sauvé, le
noble membre du monde des esprits. Il est sauvé du mal, celui dont la vie
s'est passée dans de pénibles efforts ; celui-là, nous pouvons le délivrer.
Et si de plus l'amour d'en haut s'est intéressé à lui, la troupe bienheureuse
vient à sa rencontre et lui fait un accueil cordial. » J.W. GOETHE, *Le
Second*, acte V, v. 11934-11941 ; trad. S. Paquelin, *Théâtre*, Gallimard,
1942, « Bibl. de la Pléiade », p. 1333. L'amour de Faust a longtemps été
un amour venant d'en bas, non d'en haut. C'est pourquoi, peu avant,
Méphistophélès pouvait lui faire commenter ainsi sa vie : « Je suis comme
Job, ce drôle couvert d'ulcères, qui frémit d'horreur devant lui-même et
triomphe aussitôt qu'il se voit tout entier » (v. 11809-11811, *ibid.*,
p. 1329).

personnalité) ; elles provoquent objectivement son naufrage en la conduisant à commettre des actes irresponsables dans sa volonté même de prendre ses responsabilités. Ici, ce sont donc justement les gens les plus conscients de leurs responsabilités qui, le plus souvent, en arrivent aux conflits les plus tragiques, tandis que d'autres, au caractère plus faible ou plus fruste, ne remarquent même pas les dimensions tragiques de leurs faits et gestes, ou se contentent de nier tout ce qui relève pourtant de leur responsabilité. Tandis que les raisons psychiques du tragique tiennent à la faiblesse du moi, le caractère tragique de la responsabilité tient assez souvent, lui, à une force du moi dépassant largement la moyenne.

Pour bien montrer la façon tragique dont, tant au niveau personnel que collectif, on peut se perdre dans l'irresponsabilité en assumant sa responsabilité, nous aborderons deux questions fort délicates, mais qui tiennent une grande place dans les discussions actuelles de l'Église : celle de l'avortement et celle du service militaire, ou plus exactement de l'objection de conscience. Toutes les deux se rapportent à l'interdiction de tuer. Mais, dans les deux cas, on peut se heurter à des contradictions éthiques telles qu'on ne trouve plus d'autre solution que tragique. Ces deux exemples particulièrement brûlants souligneront au mieux les impasses de la théologie morale lorsqu'elle se heurte au tragique.

Un exemple de cas tragique : un avortement[41].

Une écolière de vingt ans avait grandi dans une famille où elle avait toujours ressenti qu'on lui préférait sa jeune sœur. Déjà à l'âge de cinq ans, elle avait souffert d'irritations gastriques, de nausées, de vomissements, ne cessant de ressentir le poids d'avoir à être « la grande », souhait qui était d'ailleurs bien le sien, mais qui était aussi contrecarré par la rivalité avec sa sœur. D'un côté, elle se sentait effectivement responsable et elle aidait autant que faire se pouvait sa mère à tenir la maison ; de l'autre, elle souffrait de n'obtenir en récompense ni reconnaissance ni félicitations. Très tôt, elle en

---

41. Le récit que nous donnons ici reflète une situation psychologique bien réelle. Il est évident que la discrétion nous a conduit à en modifier certaines données extérieures importantes, et à maintenir un certain flou en ce domaine.

vint donc à l'idée que seuls des actes extraordinaires pouvaient mériter de la considération. Et puisque le zèle qu'elle
déployait chez elle n'apparaissait que trop normal, elle se
réfugia de plus en plus souvent chez les voisins et des
connaissances qui, eux, trouvaient sa disponibilité fantastique
et l'en félicitaient. Mais, par la suite, cette femme n'en garda
pas moins le sentiment de n'avoir été aimée qu'en tant que
force de travail, jamais comme personne. Elle n'avait qu'à
peine conscience de ce sentiment, mais elle se sentait sans
cesse insatisfaite et éprouvait inmanquablement le besoin
d'avoir à se donner aux autres. Le premier homme pour
lequel elle ressentit de l'inclination, à dix-huit ans, était un
travailleur étranger et, au bout de quelques semaines, pour
échapper à la maison, elle finit par l'épouser. Mais, peu après
son mariage, elle devint de nouveau la proie de son ancien
sentiment de ne pouvoir vraiment se sentir à l'aise qu'en
dehors de chez elle. Or comme son mari se montrait justement particulièrement casanier, elle en arriva vite à ressentir
son mariage comme ennuyeux : seuls une certaine compassion pour son époux et les pesants reproches de ses parents et
du curé de la paroisse la retinrent de chercher tout de suite le
divorce. Mais elle prit rapidement une chambre en ville afin
de régler au moins la question pendant la période scolaire.

C'est dans ces conditions qu'elle fit la connaissance d'un
homme de vingt-cinq ans engagé dans les services sociaux de
la paroisse où, en dépit de tous ses efforts, il avait sans cesse
l'impression de tout rater. En particulier, le fait de n'avoir pu
mener à bien le cours de ses études le faisait souffrir d'un terrible complexe d'infériorité. Tant sa propension à choisir le
pire que son désir d'être au moins utile à quelqu'un l'avaient
conduit à épouser une femme particulièrement désagréable.
Après deux tentatives de suicide ratées, celle-ci était restée
malade, et il devait donc sans cesse la soigner. Le sentiment
écrasant de sa responsabilité et celui, non moins torturant, de
son infériorité, le conduisirent à s'adonner de plus en plus à
l'alcool. De son côté, la femme percevait fort bien que, pour
son mari, elle constituait plus un poids qu'une aide et, pour se
l'attacher à coup sûr, elle en arriva à souhaiter avoir au moins
quatre enfants de lui, ce à quoi elle parvint. Effectivement, le
mari se trouva désormais beaucoup plus engagé envers sa
famille, mais il sentit en même temps grandir en lui le désir
lancinant d'un contact humain vraiment satisfaisant. Il le

découvrit par hasard, et de la façon la plus passionnée, dans cette écolière de vingt ans.

Celle-ci se mit alors à souffrir d'un vif sentiment de culpabilité à l'idée d'avoir aussi honteusement délaissé son mari. Et pour pouvoir justifier sa relation tant vis-à-vis d'elle-même que de l'extérieur, elle se mit de toutes ses forces au travail dans la maison de son nouvel amoureux. Cela lui permit, non seulement de devenir la femme de confiance du mari, mais aussi la meilleure amie de l'épouse. Il fallait naturellement que celle-ci ne pût nourrir le moindre soupçon sur ce qui lui valait cette aide inattendue. Mais, dès le début de cet arrangement, il n'y avait en réalité encore pas grand-chose à cacher, et l'intervention de l'écolière tenait avant tout à sa vieille habitude de chercher la confirmation d'elle-même dont elle avait besoin en travaillant en dehors de chez elle. Cependant, plus s'intensifièrent les contacts au départ purement « utilitaires », plus les relations personnelles durent inévitablement prendre un caractère secret, et l'écolière découvrit un beau jour qu'elle était enceinte de sept semaines.

Il faudrait pouvoir raconter plus longuement cette histoire, car cela seul permettrait de faire voir chez ses protagonistes l'enchevêtrement de qualités fort estimables et d'idées ou d'attentes impossibles à satisfaire, le tout cherchant vainement à conjurer non seulement la culpabilité passée, mais la nouvelle.

L'écolière et son amant étaient parfaitement conscients du caractère adultère et coupable de leur liaison. Mais aucun des deux ne se sentait la force de se refuser à l'autre. L'homme tenait absolument à son foyer, mais il ne pensait possible d'en assurer la survie qu'à condition de trouver chez une autre femme l'appui dont il avait besoin. L'« adultère » était devenu pour lui le moyen presque indispensable pour pouvoir continuer à assumer sa responsabilité vis-à-vis de sa femme et de ses autres enfants. L'écolière découvrait pour la première fois qu'on ne l'appréciait pas seulement pour son zèle et son utilité, mais qu'on pouvait la désirer comme femme ; et, à travers cette liaison, elle apprenait soudain à s'estimer elle-même. Elle se refusait aussi à constituer une entrave pour son amant, et elle désirait tout au contraire continuer à aider sa femme devenue son amie. Pour elle, sa liaison ne constituait pas non plus un adultère : elle y voyait plutôt une gratification bien méritée pour tout le mal qu'elle se donnait pour remettre un peu d'ordre dans un autre couple. S'il y avait bien faute, il y avait en même temps tant d'innocence et de spontanéité enfantine qu'on aurait été conduit à leur accorder sans façon le droit de continuer à vivre ainsi ensemble. Mais il y avait l'enfant ! Bien sûr, ils maudissaient tous les deux leur inattention et leur bêtise, ils se reprochaient ensemble leur liaison, mais ils se promettaient aussitôt de ne jamais se quitter. Alors, que faire ? Qu'allait-il arriver ?

De façon purement théorique, la fille entrevoyait quatre possibilités.

– Ils pouvaient tous les deux demander le divorce, se marier et fonder ainsi une nouvelle famille pour les quatre enfants déjà nés et le cinquième à venir. Mais tout allait là contre. Comment cela se passerait-il pour les autres enfants ? Et même si on arrivait à résoudre le problème, qu'en résulterait-il pour la femme abandonnée, toujours encline au suicide ? Le moindre sens des responsabilités interdisait tout recours à cette solution.

– Les deux amants auraient pu rester mariés. L'écolière aurait mis l'enfant au monde et l'aurait confié à une institution. Mais beaucoup de choses s'y opposaient : l'homme pouvait s'attendre à ce que la découverte de sa liaison illégitime lui vaille le renvoi de son travail dans l'Église ; l'écolière serait certainement dans l'obligation d'interrompre sa scolarité ; mais il aurait surtout fallu s'attendre à ce que, dans son désespoir, la femme trompée tentât de nouveau de se suicider, ce qu'il fallait éviter à tout prix.

– L'écolière aurait pu revenir vers son mari et tenter de lui faire endosser l'enfant, ou peut-être, confiante dans sa bonté, obtenir de lui la reconnaissance de l'enfant comme du sien, au moins officiellement. En voyant les choses de l'extérieur, cela aurait certainement été le moyen le plus moral et le plus avantageux, économiquement parlant : à la grande satisfaction de ses parents, l'écolière aurait mis fin à sa liaison illégitime et repris sa vie de couple. Prise en charge, elle aurait pu terminer sa scolarité et commencer des études supérieures. Tout aurait également été pour le mieux pour l'enfant. Mais c'était en même temps une solution difficile à admettre. La jeune femme ne se sentait pas la moindre envie de reprendre son ancienne vie de couple. Elle était prête à tout, plutôt que de retomber sous l'ancienne dépendance et de retrouver l'ennui de jadis. De plus, elle se refusait à laisser son amant seul et à renoncer à lui. L'amant lui-même ne se sentait pas en état d'accomplir sa tâche par seul souci de son devoir matrimonial et de sa responsabilité, sans aucune aide extérieure.

   - En théorie, la jeune femme aurait pu quitter la région le plus vite possible et aller à l'étranger mettre son enfant au monde. Il aurait simplement fallu éviter que la femme de son amant n'attentât à sa vie. Bien sûr, il lui aurait alors fallu également interrompre sa scolarité, ou même y mettre définitivement fin. Encore aurait-il été possible de trouver une solution de remplacement. Mais ce plan ne pouvait que se heurter au manque d'indépendance de la fille : elle était convaincue de ne pouvoir (encore) vivre sans son amant - tout autant que lui sans elle - et elle se percevait donc comme incapable de faire face seule à la situation la plus difficile de son existence : comment aurait-elle pu expliquer sa démarche à ses parents, auxquels il lui aurait bien fallu recourir financièrement, alors qu'elle ne pouvait absolument plus compter sur leur compréhension, au lendemain de la discussion consécutive à la rupture de son mariage ? Enfin tout départ spectaculaire aurait tellement aiguisé les soupçons de la femme de son amant que ce serait revenu à tout lui dévoiler, tout autant qu'une franche confession.

   Ne restait plus alors qu'une cinquième solution, celle que la jeune femme et son amant désiraient le moins, celle que, selon leur conviction morale la plus intime, ils considéraient comme une faute grave : celle de l'avortement. Étant donnée la nécessité de tenir compte du délai de trois mois, et du fait qu'on ne pouvait attendre d'assistance médicale d'aucun hôpital dans cette région totalement catholique, restait à se rendre à l'étranger, en un lieu bien connu. Du fait des circonstances qu'ils avaient eux-mêmes provoquées, de façon coupable, bien sûr, mais aussi de façon presque fatale, et compte tenu de toutes les conséquences de leur acte, le sens même de leur *responsabilité* finissait par leur faire envisager comme un devoir affreux ce qu'ils ressentaient tous les deux comme un meurtre. Mis devant le choix de mettre en danger la vie de l'épouse ou de protéger l'enfant à naître, cette responsabilité ne les forçait pas seulement à décider entre vie et vie, mais plus encore à peser souffrance et souffrance. Ils en étaient arrivés à ce point où éviter une faute grave n'aurait conduit qu'à se charger d'une faute plus grave encore.

On peut objecter l'impossibilité de poser en principe une hypothèse de ce genre, étant donné qu'en aucun cas on ne saurait « disposer » de la vie d'un enfant à naître : idée en soi très juste et dont on ne saurait mettre en doute la validité. Aussi ne s'agit-il pas du tout ici de « justifier » ou de « permettre » l'avortement. Il s'agit simplement de montrer, à la lumière d'un cas précis, que, dans certains cas, il n'existe pas d'autres moyens d'échapper à une faute existante que de commettre tragiquement une autre *faute* grave (en posant un geste de soi interdit) permettant de minimiser le plus possible les conséquences du premier acte. Dans l'exemple précis, l'élément décisif ne saurait donc être une légalité supérieure déductible en soi ; c'est simplement la personnalité et le caractère des protagonistes. Si l'épouse n'avait pas été une névrosée profonde, totalement dépendante, toujours au bord du suicide, si l'époux avait été assez fort pour pouvoir mener sa vie de famille sans sentir constamment renaître en lui de nouveaux sentiments de devoir et de culpabilité, si la jeune femme avait été capable de se sentir un peu mieux dans sa peau et de croire à sa capacité d'être aimée pour elle-même, comme femme adulte… bref, si on avait eu affaire à des gens différents, on aurait pu ôter au conflit son aspect tragique et éviter la déchirure liée au sens d'une responsabilité appliquée à des buts totalement inconciliables.

Mais si on veut qualifier cet acte de faute, si on se refuse à considérer comme tragique le simple fait qu'il puisse exister des imbroglios de ce genre, il faut s'obliger à ne penser le péché qu'en faisant abstraction de la situation, et à répartir la culpabilité entre les différents protagonistes dont chacun n'est en réalité devenu coupable que du fait de s'être fui lui-même. Mais il aurait fallu des mois et des mois de travail pour changer quelque chose à cela, alors que les personnes concernées par la situation devaient bien tenir compte de l'urgence et prendre une décision immédiate. Il faut ajouter qu'aucune de ces personnes n'était devenue toute seule ce qu'elle était. L'épouse malade avait eu un père qui avait fait d'elle une personne incapable ; l'époux venait d'une famille qui le prédisposait à la boisson ; l'écolière avait elle-même eu une mère dont le manque d'amour pour elle avait fait d'elle, même adulte, une éternelle enfant assoiffée de tendresse ; et ces parents eux-mêmes avaient eu de leur côté des parents et des frères et sœurs. Qui portait donc la responsabilité de la situation présente ? Nombreux sont les coupables, et on peut seulement dire ici que la faute, retransmise par chacune des personnalités impliquées, finit par former comme un nœud que personne ne peut plus défaire.

Or c'est justement là le thème de la tragédie antique : dans certaines situations, on doit se rendre coupable pour éviter de se charger d'une faute plus grave encore ; et la nécessité de la faute découle de faits passés depuis longtemps, à la façon d'un fleuve surgissant des profondeurs de l'existence et débouchant sur une zone où il n'existe plus aucune justification, pas même celle de savoir qu'on ne se soumet jamais davantage aux dieux que lorsque, en toute responsabilité, mais par là même au-delà de toute responsabilité, on accepte de prendre sur soi l'inévitable malédiction de la faute. Un seul exemple, qui n'a rien d'inhabituel, et qui, même à plus ample examen, se répète tous les jours à travers d'autres acteurs, permet donc d'apercevoir la tragédie sans cesse renaissante : celle que peut signifier le fait d'exister comme humain responsable d'une faute qui est la sienne tout en lui restant étrangère.

Autre exemple : la guerre et la misère.

Si un cas aussi circonscrit que le précédent peut déjà nous conduire à une telle réflexion, rien d'étonnant alors à ce que l'aspect tragique de la vie humaine apparaisse de façon encore plus terrible quand l'événement concerne des millions d'êtres. Si on veut découvrir ce que peut signifier une tragédie collective, on se heurte tout de suite à deux exemples types : à la guerre, ce phénomène qui ne cesse toujours d'éclater dans l'histoire, et à cette misère qui touche aujourd'hui des continents, alors qu'une infime partie de la population mondiale vit dans l'aisance.

La guerre.

Peu importe que le déclenchement de la guerre ait été dû à la faute collective d'un peuple, comme ce fut le cas pendant le Troisième Reich, ou qu'elle ait résulté de l'enchaînement d'une série tragique de circonstances, comme c'est le cas

dans la guerre civile au Liban : elle n'en conduit pas moins
des individus à poser des actes dont ils ne peuvent être tenus
pour responsables. À coups d'obus, de canons, de bombes, de
fusées, ils doivent détruire villes et villages, tuant aveuglément des enfants, des femmes, des vieillards, des malades. Ils
doivent massacrer férocement des gens qu'ils ne connaissent
absolument pas. Ils appellent à la rescousse maladie, faim,
misères de tous genres, bref, tout ce qu'on ne cesse de dénoncer comme les plaies de l'humanité, à condition, bien sûr, que
cela tombe sur l'ennemi. Plus question de compassion : les
sentiments les plus normaux deviennent gênants du moment
qu'il s'agit de l'autre. On chante la haine, la cruauté, l'esprit
de vengeance. Quelle qu'en soit sa justification, la guerre,
avec les armes modernes et sa stratégie globale, implique une
perversion radicale de la pensée et du sentiment. On ne peut
la faire sans fouler cyniquement aux pieds les valeurs
humaines. S'il y a quelque chose contre lequel on doit lutter
au nom de la morale, s'il y a quelque part quelque chose à
dénoncer comme totalement inhumain, c'est bien elle.

Mais qu'est donc ce monde, pour qu'on n'y puisse trouver
le lieu où on pourrait éviter cette faute sans en commettre une
autre ? Car, pour éviter la guerre, il faut d'une façon ou d'une
autre la préparer et se montrer prêt à la faire. La réussite en ce
domaine n'est que le fruit de circonstances heureuses, et
jamais celui de ses propres efforts.

Tragique écartèlement de l'éthique ! Autant il est immoral
de prendre part à une guerre, autant dans certaines circonstances il l'est tout autant de refuser de s'y engager : impossible de considérer comme responsable le comportement de
celui qui supporte passivement l'injustice et l'arbitraire, qui
se désintéresse de la protection de ses proches et de ses concitoyens et en arrive même à favoriser l'agression ennemie en
étalant son impuissance. Mais est-il plus responsable de multiplier plusieurs millions de fois l'injustice pour se défendre
contre l'injustice venant de l'autre ? Oui, c'est bien le visage
du tragique dans toute sa nudité : impossible de *jamais* éviter
la faute, quelle que soit la décision prise[42].

42. À notre connaissance, le seul à avoir analysé clairement et sans
détour le caractère tragique du problème de la guerre, c'est R. Schneider.
Il a aussi été le seul auteur, ou en tout cas le premier et le plus important
du temps d'après-guerre à avoir demandé à la hiérarchie de l'Église catholique de confesser publiquement le caractère tragique, tant du service

Les exemples de guerre le font bien voir : ce sont les meilleurs sentiments et les hauts faits les plus beaux qui se trouvent le plus gangrenés par l'injustice.

Écoutons ce sexagénaire : trente-cinq ans après l'événement, il raconte encore son excitation lors d'une attaque sur le front de l'Est en 1943[43]. Avec quinze hommes, il doit

militaire que de l'objection de conscience. Dans sa monographie *Der Friede der Welt* (Éd. Insel, 1956), il écrit à propos de Martin de Tours, cet officier de cavalerie du milieu du IVe siècle qui, sous Julien l'Apostat, se refusa de prendre part à la campagne contre les Francs et les Alamans : « C'est ici, peut-être pour la dernière fois, qu'on découvre la position du christianisme antique, une attitude profondément chrétienne, indubitable et impossible à récuser. Mais la contradiction à laquelle Martin de Tours se soustrayait en donnant sa démission et en choisissant la vie monastique ne saurait s'effacer pour autant. Elle relève de la nature de l'existence chrétienne. Elle est une des formes sous lesquelles la croix se traduit sur terre, et il ne serait pas bon de la masquer ou de chercher à nier par une déclaration dogmatique en oui ou en non ce qui est la plus douloureuse de toutes les libertés. On pourrait vraiment souhaiter de nos pasteurs qu'ils considèrent avec compassion cette souffrance, qu'ils émettent une parole lucide à son propos. Il n'est vraiment pas possible de rejeter la propagande pacifiste comme naïve et lâche : ce serait contraire à l'esprit sacerdotal et religieux, cela irait même contre l'humanité. Le problème n'est pas ici celui de se faire tuer, mais celui de tuer, et il faut incontestablement plus de courage pour affronter seul cette impossibilité que pour obéir en rentrant dans le rang. Mais, dans le monde moderne, la véritable libération ne saurait consister en un simple refus. Pour une conscience affinée, il n'y a guère de différence entre tuer directement ou indirectement. L'objecteur de conscience a à rendre des services qui favorisent la guerre. Il n'a donc aucune raison de refuser de se considérer comme innocent. Il reste en lien avec des gens qui tuent, et c'est avec eux, avec la totalité de son temps, qu'il paraîtra devant Dieu... L'objecteur de conscience n'échappera non plus jamais à la question de savoir si, en se mettant sur la touche, il n'a pas permis le mal ou l'injustice au détriment de sa communauté la plus immédiate, sa famille, de son peuple... Bien sûr, il peut s'en remettre à un ordre supérieur, envers lequel il se croit engagé, du soin de trancher le débat. Encore faut-il qu'il en ait souffert » (*ibid.*, p. 85-87). R. Schneider, qui avait exprimé publiquement les propos de son livre lors de sa réception du Prix de la Paix des libraires allemands, à Francfort, le 23 septembre 1956, fut interdit de parole lors du *Katholikentag* de Bochum : face au problème du réarmement, les évêques allemands, appuyés sur leurs conseillers en matière de théologie morale, entendaient prendre une position sans restriction : ils étaient pour le réarmement et pour le service militaire. Voir aussi R. SCHNEIDER, *Verhüllter Tag, Bekenntnis eines Lebens*, Fribourg, 1961, p. 157-162.

43. Dans cet exemple encore, pour des raisons de discrétion, nous avons encore changé certains détails extérieurs sans toutefois nous écarter en rien de la réalité psychique vécue par cet homme.

s'emparer d'un bois. Avant d'avoir pu atteindre la lisière, ils
sont pris sous le feu d'une mitrailleuse. Onze de ses hommes
tombent, tués ou gravement blessés. Les autres atteignent le
bois. Un soldat russe surgit d'un trou, les mains en l'air, pour
se rendre. « Nous ne nous sommes pas contentés de tuer le
gars », marmonne cet homme plongé dans son souvenir.
« Nous l'avons écrasé à coups de crosse. Pourquoi ne pou-
vait-il pas se rendre cinq minutes plus tôt ? Il voyait pourtant
bien que nous étions plus nombreux ! Pourquoi tuer d'abord
le plus possible de nos camarades ? » Sa façon de raconter
l'affaire montrait à l'évidence qu'il se sentait encore coupable : impossible de justifier son acte par les règles de la
guerre, qu'il connaissait parfaitement ; mais il faisait tout
pour se défendre : il n'était pas un meurtrier ! Son acte était
juste ! Et effectivement, son plaidoyer n'était pas sans justice : pour pouvoir agir autrement, il lui aurait fallu renier ses
meilleurs sentiments, les seuls qui surnageaient encore à cette
époque de confusion totale : la camaraderie, la solidarité, le
sens élémentaire de la responsabilité envers les siens, et
même celui d'injustice et de justice immédiate, celui qui
l'avait porté à juger coupable et à punir selon la loi du talion
ce Russe, soldat qui était pourtant parfaitement dans son droit
et qui n'avait fait jusqu'au dernier moment que son devoir de
vaillant combattant[44].

---

44. Voir les impressions et les contradictions tout à fait similaires
notées par E. M. REMARQUE dans son célèbre ouvrage *À l'Ouest rien de
nouveau* (trad. A. Hello et O. Bournal, Stock, 1929) publié au lendemain
de la Première Guerre mondiale. Il raconte comment un soldat allemand,
sautant dans un trou d'obus, se trouve nez à nez avec un soldat français.
Tout en restant jusqu'au bout ennemis, ils sont ensemble confrontés à une
mort affreuse (p. 228-230). Remarque note surtout que seul survit à la
guerre celui qui a su redescendre au niveau du sauvage, de l'animal. Il
écrit : « La vie ici, à la frontière de la mort, a une ligne d'une simplicité
extraordinaire ; elle se limite au strict nécessaire, tout le reste est enve-
loppé d'un sommeil profond ; c'est là à la fois notre primitivité et notre
salut ; si nous étions plus différenciés, il y a longtemps que nous serions
devenus fous, que nous aurions déserté ou que nous serions morts... La
vie est uniquement occupée à faire le guet, continuellement, pour se garder des menaces de la mort ; elle a fait de nous des animaux pour nous
donner cette arme qu'est l'instinct ; elle a émoussé nos sensibilités pour
que nous ne défaillions pas devant les horreurs qui nous assailliraient si
nous avions la conscience claire et nette » (p. 182-183).

Si on voulait multiplier les exemples de ce genre, on pourrait renvoyer au livre de Jean-Paul Sartre, *Les Séquestrés d'Altona*[45]. Le héros ne peut se débarrasser de son sentiment de culpabilité : conscient de sa responsabilité envers les siens, il doit à tout prix obtenir des renseignements sur l'emplacement et les plans d'unités de partisans. Il ordonne des tortures et des massacres, y compris ceux de civils probablement innocents. Simple exemple à multiplier par mille. Comment ne pas frissonner moralement devant l'évocation de la perversion des idées et des sentiments provoquée par la Seconde Guerre mondiale, ou devant le tableau théorique et pratique de la conduite de la guerre moderne ? Un combattant qui se met à réfléchir moralement au choix de ses armes et de ses méthodes est beaucoup moins apte à anéantir l'ennemi que celui qui, par raison politique, fait taire ses scrupules. La morale elle-même dégénère en simple instrument de propagande et se transforme donc en arme. La guerre totalitaire récupère l'éthique. Que dire de la guerre populaire ? À la monstruosité de l'arsenal technique des moyens de destruction vient s'ajouter une stratégie où la volatilisation de l'éthique devient un facteur majeur du combat. Effroyable tragédie, pour ceux qui gardent encore le moindre sens des valeurs ! Que faire, quand le calcul des généraux tient compte même des limites morales que l'adversaire peut encore s'imposer contre le déchaînement total du crime ? Quand l'ennemi ruse avec votre propre moralité ? Quand on doit faire fi de la morale individuelle pour ne plus se situer qu'au niveau des buts de guerre, de la perspective collective, de la raison historique, bref de la stratégie idéologique ?

Tragique illustration du dilemme : le film *Apocalypse now*, de Francis F. Coppola, sur la guerre du Viêt-nam. Les *GI's* américains entrent en guerre avec l'idée naïve de lutter pour le droit et la liberté. Mais, dans cette lutte au front invisible, pas question de donner leur chocolat à des femmes et à des enfants : il faut les tuer, tout de suite. Sinon, cette nuit même, ils livreront la place aux Viets. Horrible guerre, où il devient mauvais de vacciner contre la polio des enfants d'une région « incertaine », car l'ennemi pourrait se venger sur eux : on leur coupera les bras pour les dresser contre toute forme d'aide américaine. Il faut bombarder au napalm des villages

45. Jean-Paul Sʌʀᴛʀᴇ, *Les Séquestrés d'Altona*, acte IV, scène VI-VII, Gallimard, 1960, p. 179-186.

depuis longtemps vidés de tout homme en état de se battre. Ramasser les blessés après l'attaque ? Irresponsable !, car on ne fait ainsi que risquer la vie des soldats de sa propre section. Pour mener et gagner une guerre de ce genre, il faut en revenir moralement au stade de l'âge de la pierre et redécouvrir dans la cruauté et dans la mort une sorte de rituel sacré, un acte cultuel. Pour survivre, il faut consentir à la destruction systématique de toute forme de civilisation et en arriver à célébrer en l'absurdité la raison suprême. La thèse du film est que, a priori, les Américains ne pouvaient pas gagner cette guerre « limitée » , parce que, en dépit de leur cynisme et de la pression de l'horreur, ils étaient finalement incapables de se plier à cette autodissolution morale. Pour pouvoir gagner une guerre, il faut accepter de perdre son humanité.

Mais pendant la tournée même du film, à un moment où l'Amérique commençait à se remettre de la fêlure morale du désastre vietnamien, ou tout au moins à considérer comme juste l'évacuation éventuelle du pays, on voyait déjà sourdre le torrent des millions de réfugiés sud-vietnamiens et débuter le drame qui mettrait en jeu quatre millions de Cambodgiens soumis à la famine. On découvrait progressivement qu'une retraite, entamée pour des raisons éthiques, pouvait devenir encore plus immorale que la guerre elle-même. Ne savait-on donc pas ce qu'il fallait penser d'un adversaire qui avait organisé le massacre de Hué ? Ignorait-on de quoi était capable un régime qui avait consciemment bâti des plans d'une guerre de dix, vingt, trente ans ? En 1953, Albert Camus écrivait déjà que l'innocence était au banc des accusés et qu'elle devait se justifier de n'avoir pas assez tué[46]. Mais se justifier comment ? Nul ne le sait ! C'est bien là l'horrible !

Misère et sous-développement.

Le dilemme moral de la guerre populaire ne se réduit pas à celui de la justification de sa conduite tactique et stratégique.

---

46. « Les camps d'esclave sous la bannière de la liberté, les massacres justifiés par l'amour de l'homme ou le goût de la surhumanité, désemparent, en un sens, le jugement. Le jour où le crime se pare des dépouilles de l'innocence, par un curieux renversement qui est propre à notre temps, c'est l'innocence qui est sommée de fournir ses justifications » A. CAMUS, *L'Homme révolté*, 1951, p. 14.

Il oblige à reconnaître en elle la manifestation, l'« apocalypse », d'une injustice fondamentale qui existait déjà antérieurement à elle. Nouvel aspect de la tragédie où se trouvent happés les individus ! Il n'y a pas que ceux qui vont jouer au soldat au Kenya, au Viêt-nam, en Algérie ou au Congo à être coupables ! On l'est, comme citoyen d'un pays qui tire à volonté de ses colonies matériaux, produits finis, forces de travail, trésors d'art, avantages stratégiques, bref, tout ce qu'il désire[47]. On est coupable de tirer personnellement profit d'une économie dont les tarifs douaniers et commerciaux ne laissent aucune chance aux pays les plus pauvres, d'un commerce qui ne cherche que son propre avantage : maintien des matières premières importées aux plus bas prix possible, imposition de tarifs minimums à la production, renchérissement continuel des produits industriels finis. On est coupable d'un style de vie qui conduit un pays comme le Brésil à détruire sa forêt vierge amazonienne, et par là à liquider avec l'environnement les dernières cultures indiennes encore intactes[48]. Dans les circonstances présentes, on est coupable de vivre.

47. Franz Fanon, qui a surtout éclairé la logique des mouvements de guerilla à partir de l'exemple de l'Algérie, a décrit la dialectique de la terreur, de la contre-terreur, du pouvoir et du contre-pouvoir : « La logique du maître colonial est impitoyable et, si l'on n'a pas par avance perçu le mécanisme de ce maître, on ne peut qu'être épouvanté de la contre-logique décelable chez le colonisé. » Un seul acte de terrorisme du colonisé déclenche les représailles de la police, laquelle à son tour provoque les représailles des forces nationalistes. Les actions de rétorsion de la puissance coloniale multiplient les victimes, chose dont le pays colonisateur n'a qu'à peine conscience. La disparité avec laquelle cette puissance coloniale déplore ses propres victimes et passe par-dessus celles des autres ne fait que faire voir au pays colonisé la véritable nature de son oppression. À partir de ce moment-là, la victoire de la guerilla est quasi inévitable. (F. FANON, *Les Damnés de la Terre*, introduction de J.-P. Sartre, Paris, 1961, p. 68-69). Il écrit aussi : « Nous ne sommes pas débarrassés de l'impérialisme et du colonialisme du simple fait d'avoir retiré leurs drapeaux et leurs forces armées des territoires colonisés. Pour ce faire, il faudrait compenser l'exploitation centenaire des pays du tiers monde » (p. 76-83).
48. Voir K. MÜLLER - I. THÖRNER, « Mit der Straße kommt der Tod », dans M. MÜNZEL, *Die Indianische Verweigerung. Lateinamerikas Ureinwohner zwischen Ausrottung und Selbstbestimmung*, Reinbek, 1978, p. 53.

La tragédie de la vie.

À partir de ces deux exemples, il nous faut bien élargir notre réflexion et faire un pas de plus.

Jusqu'à présent, nous n'avons jamais parlé de faute tragique qu'à propos de notre semblable. Mais, dans les cultures primitives de la chasse ou de la cueillette, on avait sûrement raison de n'envisager l'homme que comme partie constitutive de la nature et d'appliquer la question d'une inéluctable culpabilité à la relation de toutes les créatures : impossible de vivre sans les plantes et les animaux en lesquels on voit les incarnations de dieux et d'esprits qu'il faut tuer pour se les incorporer[49]. Vivre, cela signifie manger, et manger, c'est devenir coupable.

Cette idée n'est pas si absurde que certains esprits obtus pourraient le croire. Elle comporte un aspect profondément humain. C'est ainsi que les peuples primitifs n'auraient jamais pu concevoir la façon dont notre monde technique considère comme toute naturelle notre façon de voir dans les créatures vivantes de simples provisions à sa disposition, « biomasse » exploitable à volonté ; comme s'il n'y avait aucune faute à utiliser froidement et sans tenir compte des souffrances qu'on leur inflige des créatures douées de sensations et de sentiments. Ces peuples auraient tout au moins considéré comme tragique le fait d'avoir infligé une souffrance à d'autres créatures pour se l'éviter à soi-même[50]. Ils s'en seraient sentis coupables. Leur sentiment de faute les aurait par exemple empêchés de tolérer la légèreté avec laquelle notre industrie pharmaceutique s'autorise des manipulations douloureuses sur les animaux, sous prétexte de tester quelques douzaines de produits destinés à guérir certaines maladies. Leurs mythes manifestent unanimement la certitude que l'existence elle-même est coupable. On retrouve dans toutes les traditions populaires l'idée que, à l'origine du monde, le premier couple humain, en commettant une faute, a miné les conditions mêmes de la vie en les affectant d'un

49. En ce qui concerne le sentiment tragique de la vie dans les cultures de la chasse et de la cueillette, voir E. DREWERMANN, *Strukturen des Bösen*, II, p.197-202 ; 597-613.

50. Peine qu'a particulièrement ressentie Albert Schweitzer, à la suite de Schopenhauer. Voir A. SCHWEITZER, *Kultur und Ethik*, Munich, 1960, p. 339.

coefficient négatif de mal et de souffrance. Ces gens considéraient la vie tout entière comme une tragédie sans fin, comme une faute permanente et inévitable, en dépit de leurs meilleures intentions. Ce que la tragédie classique décrivait à propos de certaines familles n'apparaît donc plus comme exceptionnel : ce n'est que l'illustration de la tragédie de l'existence prise dans sa globalité : la malédiction de Tantale ou la mauvaise étoile de la maison des Atrides ne sont rien d'autre que des coupes permettant de mettre en valeur l'idée fondamentale que tous les hommes sont inexorablement voués à la faute et qu'il leur faut payer dans la souffrance et le malheur le prix de l'échec de leur bonne volonté.

LA POSITION CHRÉTIENNE

Quelle est donc la position du christianisme face à ce genre d'expérience qui a tant marqué les cultures anciennes, mais qui ne marque pas moins notre mentalité moderne ?

Chose surprenante, choquante même : il nie totalement le tragique. Il n'en a pas élaboré la moindre théologie. Bien plus, il n'y a pas si longtemps encore, prétextant qu'il y avait incompatibilité entre la pensée tragique des philosophes espagnols et la croyance chrétienne au salut, on mettait à l'index certains auteurs tels que de Miguel de Unamuno[51]. Ce rejet fondamental dure encore aujourd'hui : rédemption et vision tragique de la vie seraient deux idées contradictoires : elles ne pourraient donc que s'exclure.

Pourquoi cet étonnant rejet ? Il faut bien qu'il s'appuie sur quelques raisons précises ? Lesquelles ?

---

51. Miguel de UNAMUNO (1864-1936) écrivit en 1913 un ouvrage sur *Le Sentiment tragique de la vie* (trad. J. Casson, Gallimard 1937 coll. « Idées »), puis, en 1924, un autre ouvrage sur *L'Agonie du christianisme* (trad. J. Casson, Rieder, 1926). R. SCHNEIDER l'admirait beaucoup, ainsi qu'il le reconnaissait dans son autobiographie, *Verhüllter Tag. Bekenntis eines Lebens*, Fribourg, 1961, p. 57-59.

L'HÉRITAGE DE LA THÉOLOGIE YAHVISTE
ET LA DOCTRINE DU PÉCHÉ ORIGINEL

Au premier abord, s'il est pourtant une doctrine qui souligne le caractère tragique de la vie humaine, c'est bien celle du péché originel, propre au christianisme.

Certes, nombreux sont les mythes antiques à parler d'une faille sous-jacente à la vie. Leur propos reste cependant encore ambigu. Il y aurait bien lésion du monde naturel et humain ; mais l'idée d'une culpabilité semble finalement s'effacer devant la certitude que l'ordre présent est nécessaire. Bien sûr, tel qu'il existe, le monde n'est pas celui qu'on aurait pu souhaiter. On doit pourtant l'accepter tel qu'il est. La seule chose qu'on puisse faire, c'est de recourir à certains rites qui, en en réactivant l'origine, en assurent la permanence et la stabilité. Il faut en outre se rappeler que les premiers coupables de la détérioration de l'univers sont, sinon toujours les dieux, au moins fréquemment des êtres mixtes se situant entre le ciel et la terre, demi-dieux ou animaux[52].

En revanche, la tradition yahviste, celle qui remonte à la Bible et que l'on retrouve dans le christianisme, est beaucoup plus radicale. Elle est surtout plus cohérente avec le monothéisme[53]. Partant de la révélation de Yahvé-Dieu à son peuple Israël, elle considère toute la vie de l'homme comme un tragique enchaînement de bon vouloir et de faute.

Le récit yahviste du péché originel se refuse à déclarer l'homme fondamentalement mauvais, comme si son orgueil, sa désobéissance ou sa présomption le poussaient toujours à se dresser contre le bien. Il le présente plutôt comme un être obsédé de perfection, mais dont l'*angoisse* provoque l'échec en venant pervertir le résultat de son effort[54]. Car cette angoisse le conduit à perdre confiance en son créateur. Elle le précipite ainsi dans un monde où, privé de Dieu, il ne parvient plus à supporter sa condition de simple créature. Pour vaincre son sentiment de néant, il tente alors désespérément de devenir semblable à Dieu. Cette prétention ne peut finalement déboucher que sur l'effondrement.

---

52. Voir E. DREWERMANN, *Strukturen des Bösen*, II, p. 612-613.
53. *Ibid.*, p. 614-615.
54. *Ibid.*, I, p. 76-78 ; III, p. LXXII-LXXXVI.

C'est de cet effondrement que la théorie analytique des névroses essaye de rendre compte. Mais le Yahviste lui donnait un sens théologique que la psychanalyse ne saurait soupçonner : dans tous les mouvements de la psyché qu'elle décrit en parlant de sentiment de culpabilité, de compensation, de refoulement ou d'attitude, lui voyait le résultat d'une angoisse inhérente à la conscience humaine, d'une peur qui vient infecter une existence désormais placée sous le signe du refus de Dieu. Pour lui, les différentes formes de névroses que nous avons décelées se résument en une tragédie unique : par sa faute, l'homme a perdu son lien avec sa source originelle, et il ne peut le retrouver.

La vision yahviste de l'histoire nous autorise donc, nous oblige même, à reconsidérer et à approfondir théologiquement les données tant de la tragédie antique que de la psychanalyse et de la psychothérapie. En même temps, elle remet en cause un postulat important des mythes. Tout en confirmant la valeur de leur contenu, elle s'en distancie tout comme elle se distancie finalement de toute vision purement immanentiste de l'existence humaine. Elle se refuse à faire retomber sur Dieu la responsabilité du malheur de l'existence. Tels que Dieu les a faits, le monde et l'homme sont bons. Si l'homme pense qu'il est fondamentalement maudit, cela ne tient qu'à lui : cela vient de ce que, dans son angoisse, il a perdu de vue son créateur. Et plus il s'insurge contre son existence, plus il s'empêtre inextricablement dans le filet de ses vains efforts[55].

Ainsi, pour le Yahviste, toute l'existence est-elle de part en part tragique. Mais c'est l'homme, et lui seul, qui est responsable de son malheur. Plus question d'admettre l'idée mythique de conflits divins dans lesquels un homme impuissant se trouverait happé malgré lui. Pas davantage question de projeter la déchirure dans le domaine divin : elle est le propre de l'homme. C'est en lui seul que gît la contradiction à propos de laquelle la psychologie parle de névrose d'angoisse et de refoulement. Cette contradiction interne de l'homme est liée à la rupture de son lien à Dieu. Et le Yahviste trouve la confirmation de sa perspective dans l'appel que Dieu a lancé

---

55. C'est à cette inversion du sens de la création que s'oppose Dieu lorsque, par souci de l'homme, il promulgue son unique interdit, celui de « la connaissance du bien et du mal » (Gn 3, 5). Voir E. DREWERMANN, *Strukturen des Bösen*, I, p. 16-19, 46-51, 87-97 ; III, p. 234-251.

à Israël : le monde entier peut se débattre dans sa folie ; le peuple juif, lui, a reçu mission de rappeler à tous le vrai visage de l'homme. En prenant en charge une histoire replacée sous le signe de Dieu, il s'engage à ramener toute l'humanité à elle-même[56]. Cette espérance qui l'anime est celle qu'on verra se réaffirmer chez Isaïe[57] et dans toute la tradition de la montagne de Sion, celle qu'on retrouvera encore, marquée par la Perse, dans la vision apocalyptique du fils de l'homme de Daniel[58].

Mais si on cherche dans le quatrième livre d'Esdras[59] ce que devient cette grandiose ébauche de synthèse théologique, il faut bien constater que le Yahviste n'eut guère d'influence sur le peuple juif. Sa vision serait demeurée minoritaire si le christianisme n'était venu la relancer en se déclarant *la* religion du salut universel.

Cette doctrine yahviste du besoin universel et absolu de salut rejoignait certaines idées comparables, en particulier de la sagesse extrême-orientale[60]. Il semble justement que ce soit cette similitude avec des traditions étrangères qui ait provoqué la réaction du judaïsme contre elles : dans son opposition violente à toute forme de mythologie, il aurait tenu à se distancier des autres peuples. Ce ne fut toutefois pas le cas du christianisme : une fois rompus ses liens avec la synagogue, il retrouva immédiatement la vieille doctrine, et cela avec d'autant plus de bonheur qu'elle lui permettait de montrer dans le Christ le seul sauveur possible de l'humanité.

Cependant ce retour au diagnostic yahviste ne se fit pas sans modification de son idée du tragique. En y recourant, la doctrine chrétienne aurait pu et dû faire du péché originel la clef d'une explication universelle de l'existence humaine. Mais, en dépit des géniales intuitions psychologiques et de la surprenante capacité d'introspection de saint Augustin[61], le plus

---

56. *Ibid.*, I, p. 319-320 ; III, p. 548-554.
57. Is 2,2-5.
58. Dn 10,5-21 ; 12,5-13.
59. Voir 4 Esdras 7,118. H. GUNKEL, *Le Quatrième Livre d'Esdras*, dans Kautzsch (éd) : *Die Apokryphen und Pseudœpigraphen des Alten Testaments*, 2 vol., Tübingen, 1900 (2ᵉ éd. 1962) p. 331-401.
60. E. DREWERMANN, *Strukturen des Bösen*, I, « Die jahwistische Urgeschichte in exegetischer Sicht », p. 320-321.
61. Dans son commentaire du psaume 50,7, Augustin oppose à ceux des premiers chrétiens qui niaient le péché originel l'axiome suivant :

grand interprète chrétien de la doctrine du péché originel, ce ne fut pas le cas. On ne l'utilisa que de façon purement utilitaire *(usus elencticus)* pour montrer que la foi chrétienne était *nécessaire* au salut : en dehors du christianisme, aucune religion ne pouvait rendre la paix à l'homme. On ne se soucia donc plus du tout d'analyser le caractère tragique de la condition humaine : on se contenta de reprocher leur faute à ceux qui n'avaient pas (encore) accédé à la foi au Christ. Le thème de la conversion à celui-ci prit une telle importance, et on se préoccupa tellement de faire ressortir la différence entre le christianisme, le judaïsme et les autres religions « païennes », que l'on finit par considérer comme soluble, et même comme déjà résolu en Jésus-Christ, le tragique imbroglio du péché que le Yahviste avait si bien perçu et que, sur sa lancée, saint Paul avait décrit avec tant d'acuité dans Rm 6-8. On réduisit ce péché à un simple cauchemar dont ne gardaient vraiment souvenir que les gens encore tournés vers le passé. Désormais, il fallait n'insister que sur le caractère sauvé de l'existence nouvelle en Jésus, donc lui dénier tout caractère tragique. La ligne de partage était claire : d'un côté, les pessimistes, fatalistes de toutes sortes encore empêtrés dans leur croyance « païenne » en une destinée aveugle, de l'autre les chrétiens, soulevés par l'espérance, pleinement confiants en Dieu, et convaincus de leur liberté et de leur capacité de choisir.

Mais, ce faisant, le christianisme simplifiait par trop le problème. Les conséquences du glissement de doctrine sur un point aussi central ne pouvaient être que catastrophiques.

Sans doute le dogme chrétien continua-t-il à affirmer que la démarche de foi était l'œuvre de la grâce ; mais, surtout dans la mentalité catholique, on insista beaucoup plus sur la coopération qu'y apportait l'homme : la définition scolastique suivant laquelle cette foi est un acte de l'intelligence commandé par la volonté fait parfaitement voir que, fondée sur l'action rédemptrice du Christ, elle devient ensuite l'effet d'une décision purement humaine. Cette idée n'est pas sans justification et ne va pas sans conséquences : si, conformément à la conception yahviste et à la doctrine chrétienne du péché originel, on considère la rupture du lien avec Dieu comme une

---

« Comment celui qui prie pourrait-il dire qu'il a été conçu dans le péché, si ce n'était parce que le péché d'Adam lui avait été retransmis ? » (Saint Augustin, *Enarrationes in Psalmos*, Éd. Migne PL 36, p. 591).

faute, il faut bien que celle-ci comporte un élément qui dépend de l'homme et qui relève de sa liberté ; inversement, la démarche par laquelle l'homme échappe au péché suppose aussi sa collaboration. Cependant, si la réalité se résume à cette vision des choses, on justifie l'idée de Pélage, ce moine pour lequel l'homme est capable de faire le bien s'il le désire. Ce qui revient à réduire la défense augustinienne de la doctrine du péché originel contre le pélagianisme à un simple combat d'arrière-garde. Si en revanche, sur ce point central, on admet vraiment le rejet du pélagianisme, autrement dit de toute forme de doctrine suivant laquelle l'homme est totalement libre de faire le bien, et si on admet à l'inverse le dogme selon lequel l'homme ne saurait accomplir de lui-même le pas de la foi, on ne peut manquer de se demander comment l'incroyance pourrait être faute de l'homme, et non faute de Dieu.

Pour répondre à cette question, il ne suffit pas de renvoyer à l'idée générale que Dieu veut le salut de tous et que chaque homme dispose d'assez de grâce divine pour faire le bien. Il s'agit plutôt de comprendre *intérieurement* en quoi consiste l'incapacité de l'homme à accomplir le bien. Autrement dit, au lieu de se contenter d'affirmer le péché originel, il faudrait en proposer une interprétation qui fasse voir sa portée existentielle. On recouperait alors notre problème du tragique, celui qu'a pour sa part retrouvé la psychanalyse.

Or cela, aucun théologien moderne ne l'a jamais fait, sauf un. Le seul à être parti de l'expérience fondamentale qui avait été celle d'Augustin, de Pascal et de Luther, et le premier à avoir abordé en toute clarté la question du péché originel en y diagnostiquant une tragédie de l'angoisse, ce fut Sören Kierkegaard[62]. Exégétiquement, celui-ci ne pouvait savoir que ses idées en la matière avaient une source beaucoup plus ample que le seul récit du péché originel (Gn 3,1-7), qu'elles renvoyaient à toute la vision yahviste de l'histoire. Il pouvait encore moins soupçonner que sa description de l'angoisse et du désespoir, comme catégories fondamentales de l'existence humaine coupée de Dieu, précédait d'un siècle les découvertes

---

62. En particulier dans son ouvrage *Le Concept d'angoisse*, trad. P. H. Tisseau, revue par E. M. Jacquet-Tisseau ; *Œuvres complètes*, Éd. de l'Orante, t. VII, p. 105-258.

de la psychanalyse et de la pensée existentielle[63]. Il n'en a pas moins donné à la théologie une orientation de base.

Reste alors cette tâche qui consisterait à élaborer une anthropologie capable d'aller bien au-delà de la simple analyse de l'angoisse, et qui permettrait enfin la convergence de la psychanalyse et de la théologie. Car c'est bien la vision psychanalytique de la névrose qui nous permet de comprendre concrètement la portée de la théologie que nous venons de présenter : l'échec tragique de la volonté morale venant fondamentalement se briser sur l'angoisse et sur le complexe d'infériorité[64]. La psychanalyse peut ainsi rappeler à la théologie que la question du bien et du mal se pose en premier lieu à l'homme à propos de sa relation à soi-même, à propos de l'angoisse qu'il éprouve en découvrant sa contingence radicale ; ce n'est qu'ensuite qu'elle se pose au niveau de l'éthique et de la volonté. Inversement la théologie pourrait et devrait venir compléter et approfondir les découvertes de la psychanalyse, en permettant à celle-ci de dépasser la simple analyse empirique de l'expérience d'angoisse, d'élaborer une interprétation des différentes formes de névroses renvoyant aux structures fondamentales de l'existence humaine, à la liberté, et finalement au problème du sens de la vie. Pour ce faire, il faudrait constamment repartir de l'idée centrale de Kierkegaard (et, dans sa foulée, de l'existentialisme) : la liberté est synonyme d'angoisse, au point que l'existence oblige l'homme à se poser la question cruciale de savoir si sa peur le conduira à se confier en Dieu ou à se perdre loin de Dieu dans l'abîme du monde[65].

Mais ce n'est pas seulement en matière de souffrance, de maladie et de péché, que psychanalyse et théologie ont à apprendre l'une de l'autre. C'est aussi en matière de guérison, de salut. Les découvertes de la psychothérapie montrent bien le lien étroit qui existe entre la guérison d'un malade et la *confiance* qu'il retrouve en soi-même et dans les autres. Se passe vraiment ici ce que la théologie ne cesse d'affirmer à propos de Dieu : ce qui compte, c'est une attitude indépendante de la volonté de l'homme et à laquelle il ne peut se

63. Voir E. DREWERMANN, *Strukturen des Bösen*, III 234-251 ; 552-594.
64. *Ibid.*, II, p. 552-594 ; III, p. 234-251.
65. *Ibid.*, III. p. XX-XXXI ; LXI-LXXXIII.

contraindre ; il ne peut la découvrir que comme un don[66]. L'angoisse pousse à ne vouloir dépendre que de soi-même dans toute la mesure du possible, à se poser soi-même comme fondement absolu de sa propre existence : effort démesuré qui débouche sur un état de crispation tragique. Seule solution possible : accepter de vivre de ce que la théologie nomme « grâce » au sens absolu du terme. C'est dire tout ce dont la psychanalyse, avec son extraordinaire trésor d'expérience concrète, pourrait venir enrichir le discours théologique sur Dieu (et ouvrir l'intelligence de l'Écriture sainte). Mais c'est dire aussi comment cette théologie pourrait (et devrait) inversement appuyer et renforcer la psychothérapie en venant libérer les malades de leur angoisse et en leur insufflant la certitude nécessaire à leur pleine guérison : celle qui repose sur la confiance en l'ordre et en la bonté fondamentale de l'existence.

Nul doute que cette perspective rendrait la théologie infiniment plus attentive aux multiples tragédies de l'existence concrète. Reprenant enfin au sérieux ce qu'elle proclame dogmatiquement dans sa doctrine du péché originel, l'Église en redécouvrirait toute la signification anthropologique. Elle résoudrait enfin cette contradiction dans laquelle elle sombre si souvent aujourd'hui : celle qui consiste à proclamer une doctrine antipélagienne, tout en agissant en pratique comme si ce moine que combattit si ardemment Augustin il y a mille six cents ans avait finalement montré la seule voie possible. Car, à regarder de près la réalité présente, la doctrine de la victoire du Christ sur le péché originel a fort étrangement fini par se retourner en vision volontariste et moraliste de la conduite humaine ; et ceci pour deux raisons : le refus de l'inconscient, et la transformation du christianisme en « religion populaire ».

Le refus de l'inconscient.

Pour reconnaître à sa juste valeur le rôle extraordinaire que joue l'angoisse dans l'existence humaine, et donc pour approfondir notre anthropologie théologique, on ne peut plus se contenter de ne voir en l'homme qu'un être doué d'intelligence

---

66. *Ibid.,* II, p. 577-586 ; III, p. 552-554.

et de volonté (bonne ou mauvaise). Le théologien doit comprendre que la plus grande partie de la vie psychique est de nature inconsciente : bien avant l'intervention de la réflexion consciente et de la volonté, c'est à ce niveau que les décisions se prennent. Seule cette vision des choses permet de comprendre le continuel échec de la volonté. C'est d'ailleurs ce que la doctrine du péché originel nous oblige à admettre.

Mais, pour des raisons remontant à l'aube du christianisme et étroitement liées à la défense contre les mythologies païennes et à l'affirmation de la liberté humaine[67], et à la différence de cette autre religion de salut qu'est le bouddhisme, les premiers chrétiens ont engagé notre réflexion dans une direction qui ignorait parfaitement les couches profondes de la psyché humaine. Méconnaissant l'inconscient, ils l'ont soit divinisé, soit diabolisé, exactement comme la méconnaissance des forces naturelles *extérieures* conduisait à attribuer immédiatement certains phénomènes de la nature à Dieu ou à des interventions démoniaques. Liant désormais foi en un Dieu unique et personnel et doctrine de la dignité absolue, la croyance en l'immortalité et la liberté de l'homme, le christianisme obligeait la conscience à faire un bond, donc à se distancier des mythes, mais, par là même, à se distancier aussi du sentiment tragique de l'existence. Il entendait arracher définitivement la personne à l'univers de la dépendance et du conditionnement collectif et susciter une telle confiance que le moi, ainsi renforcé, pourrait désormais résister tant au monde des dieux qu'à l'esclavage des instincts. En affirmant le salut, il avait certes bien raison d'affirmer que, fondamentalement, le moi échappait désormais à sa situation de dépendance et de faiblesse. Il se devait aussi de réagir contre la vision tragique qu'on pouvait auparavant avoir de la faute. Mais, par crainte de se trouver réaspiré par l'ancienne mythologie, et plus encore pour bien marquer le caractère unique du Christ, il s'est opposé au paganisme de telle manière qu'il en est arrivé à croire devoir nier et mépriser en même temps les forces de l'imaginaire constructrices des mythes. Il n'a ni intégré, ni assimilé, ni approfondi, mais réprimé, refoulé, démonisé[68]. Comme tout refoulement, cette façon de faire a

67. *Ibid.*, III p. 514-533.
68. Voir surtout Justin, *Apologie*, 1. 54.

d'abord paru lui simplifier énormément la tâche ; mais elle court-circuitait en réalité sa propre doctrine de salut et s'y est finalement montrée infidèle. Niant tout tragique, elle en a provoqué la prolifération.

En effet, la valorisation exclusive de l'intelligence et de la volonté permettait de croire la simple « prédication » du christianisme suffisante pour rendre possible la « foi », et donc le « salut ». Si, en dépit de cette prédication, quelqu'un ne croyait pas, cela ne pouvait venir que d'une incompréhension du message – et il fallait alors multiplier les efforts pour mieux l'expliquer – ou du refus coupable de le recevoir. Cette « mauvaise volonté » méritait alors d'être durement punie. Mais, en voyant ainsi les choses, non seulement on ne fournissait plus de réponse vraiment humaine au véritable drame dont l'homme attendait la délivrance, à celui qui l'enchaînait vraiment, à ce continuel retournement contre Dieu des meilleures intentions qu'il avait pu avoir à son égard ; mais, à l'encontre de la visée de départ, on sombrait dans une nouvelle mythologie : ne pouvant plus saisir ce qui se passait dans les profondeurs de la psyché humaine, on chargeait le démon de toutes les pesanteurs et de toutes les contraintes qu'on ressentait encore en soi, de tout ce que l'intelligence et la volonté, laissées à elles-mêmes, se montraient incapables de comprendre et de vaincre. Au lieu de sonder les angoisses concrètes des gens et d'assurer ainsi la valeur salvatrice de la foi, on les déclarait soit « possédés », soit « méchants ». Mythologisation et moralisation sont aussi impuissantes l'une que l'autre à aider l'homme à affronter et à résoudre son véritable drame : ses refoulements, ses contradictions, ses compensations, ses efforts désordonnés, bref, ces innombrables formes de névroses dues à l'angoisse éprouvée devant son existence. En méconnaissant l'inconscient, on ne surmontait le tragique qu'en parole, mais non vraiment en acte, pour le plus grand détriment du christianisme lui-même. Car, à partir du moment où on ne reconnaissait plus en l'homme que son intelligence et sa volonté, l'analyse moraliste du mal reconduisait tout naturellement à la plus pure doctrine pélagienne, donc au rejet méprisant de la doctrine du péché originel, coupable d'affirmer avec insistance le caractère non libre de l'humanité pécheresse. Un diagnostic superficiel du péché complété par une vision moralisatrice du salut : telles furent les conséquences toutes naturelles de l'insuffisance anthropologique des premiers chrétiens, de la réduction de l'homme à un pur savoir et à un pur vouloir. Ajoutons que l'oubli du dogme du péché originel n'est qu'*un* aspect de la façon dont le christianisme se renie lui-même en opérant une telle réduction.

Le résultat final, c'est cet optimisme éthique dont, voici quelque deux cents ans, les Lumières adoptaient la version sécularisée en rejetant définitivement une doctrine du péché originel déclarée obscurantiste. On put alors affirmer que le problème de l'humanité ne consistait finalement qu'en une carence du savoir et de la morale, carence à laquelle le progrès de la science et une discipline accrue devaient remédier sans problème. Cette croyance au progrès ne pouvait que méconnaître par principe les aspects tragiques de l'existence humaine. Si par hasard on les voyait resurgir, on se dépêchait d'en nier la nature véritable pour n'y plus voir que le résultat d'une défaillance morale[69]. Cette perspective, qui a fini par paraître toute naturelle au christianisme lui-même, a fortement rétroagi sur sa pratique ; elle a contribué à enfler démesurément la place du moralisme au détriment du dogme.

La transformation du christianisme en religion populaire.

À ce premier problème fondamental du christianisme qu'est sa méconnaissance de l'inconscient, il faut en ajouter un second : son succès quantitatif. Cet aspect de sa croissance a fortement contribué à masquer le caractère tragique de l'existence.

On pourrait penser que « convertir » un « païen » à la foi ne devrait pas être plus facile que guérir un névrosé de ses

69. L'interprétation marxiste de l'expérience tragique ne constitue rien d'autre qu'une variante du moralisme et du rationalisme déjà introduits par le christianisme. C'est ainsi que pour Georges Lukács, toute la tradition intellectuelle qui conduit de Kierkegaard à Heidegger et à Jaspers n'est qu'une « triste idéologie de Philistins, de l'angoisse et du tremblement », frayant la voie au fascisme et au nihilisme. Voir G. LUKACS, *Die Zerstörung der Vernunft*, II, « Irrationalismus und Nihilismus », Darmstadt-Neuwied, 1962, p. 167. Pour dire les choses un peu moins brutalement, la vision tragique de l'histoire n'est qu'une survivance du féodalisme à l'époque de sa défiguration bourgeoise, un reste de l'époque de crise du capitalisme monopolistique et de la progression de l'État socialiste. (Voir *ibid.*, p. 189.)

angoisses et de ses contraintes. Ce devrait même être
infiniment plus difficile : en effet, on n'a pas alors affaire
seulement à un individu pris isolément ; on se heurte aussi à
ces peurs et à ces tabous que les mythes populaires ont
institutionnalisés et ont ainsi rationalisés au plan de la
collectivité. Impossible alors de réduire la « conversion des
païens » à une découverte du salut par une personne qui y
aurait aspiré de façon individuelle, car cette soif de salut
était elle-même marquée par la religion en laquelle elle
croyait précédemment. C'est de cette religion qu'il faut
exorciser. Tâche immense, peut-être trop difficile ! On ne
voit pas, en tout cas, que le christianisme, au lendemain de
sa conquête pacifique de l'Empire romain, y ait vraiment
répondu. Une fois parvenu au pouvoir, il s'est livré à une
guerre de conquête, à moins de tirer avantage de la
supériorité économique et culturelle de l'empire pour
détruire les images religieuses et sociales des « peuples
païens ». Bien sûr, il s'est soucié de fournir la meilleure
pastorale possible à ses « conquêtes ». Mais, ayant cessé de
voir dans ses dogmes des symboles profondément ancrés
dans l'inconscient de l'homme, il a cru devoir les
transmettre et les assurer de l'extérieur, par la force ; il a
d'autre part cherché à s'assurer un statut qui aurait certes
correspondu aux exigences d'une religion populaire, mais
non à celles d'une religion du choix, ce qu'il était pourtant
par nature. D'où le danger, soit d'en rester à moitié route en
ne faisant que susciter un champ de ruine chez des peuples
déracinés religieusement et moralement, comme ce fut le cas
des tribus indiennes d'Amérique du Nord ou des aborigènes
d'Australie, soit, en cas de « victoire » totale, de s'affadir
lui-même dramatiquement. On peut appartenir par naissance
au judaïsme ou au bouddhisme, car ces deux religions sont
nées dans une tradition culturelle multimillénaire ; mais une
religion de salut comme le christianisme, une religion qui
remet en question tous les liens naturels, se renie elle-même
quand elle prétend que ses membres sont les siens en raison
de leur naissance. On ne peut alors plus prendre au sérieux
son diagnostic sur le mal, et la thérapie qu'elle entend
proposer pour le combattre ne peut apparaître que simpliste.
La foi semble aller de soi ; c'est une donnée commune à
tous ; on l'a sans problème, sans cette fièvre qui est le coût
de la délivrance de l'angoisse. On oublie en fait

l'impossibilité de l'angoissé de se libérer de la puissance du mal[70].

Cette transformation du christianisme en religion populaire est donc une des raisons qui l'ont poussé à se dégager de son dogme pour se transformer en pure doctrine morale, une morale où l'accomplissement du bien et du mal n'est plus qu'une question de conscience et de consentement. Dans de telles circonstances, plus question d'admettre le moindre tragique de l'existence. L'homme sauvé est capable de faire le bien : Dieu lui confère assez de grâce pour ce faire. Et puisque l'extension du christianisme a largement fait progresser le salut de l'humanité, il n'y a qu'à se réjouir et rendre grâce pour cette victoire du bien sur le mal, de ce dépassement du tragique.

En réalité, cette simplification des choses n'a provoqué ni progrès de l'humanité, ni accroissement de bonheur. Elle a au contraire suscité une forme nouvelle de cruauté et de mensonge.

LA NÉGATION DOGMATIQUE DU TRAGIQUE : UNE TRAGÉDIE

La surcharge moraliste.

La transformation de plus en plus marquée du christianisme en éthique ne peut déboucher que sur un renforcement du moralisme. Les sentiments de culpabilité et de contrainte qui en résultent ne doivent pas seulement le conduire à en revenir à son intention originelle d'annoncer le salut au cœur de l'existence ; ils l'obligent à reconnaître combien sa prédication s'est coupée de la réalité pour ne plus susciter qu'une rêverie dominicale.

Dans le cadre de la religion populaire, l'appel à la foi, quelque grandiloquent qu'il ait été, n'a absolument pas changé les gens : ils restent toujours en proie aux mêmes angoisses que les autres. Existentiellement et psychologiquement

---

70. Kierkegaard a tout particulièrement protesté contre cette inflation d'un troupeau déclaré chrétien : « Nous sommes tous chrétiens, mais sans même soupçonner ce qu'est le christianisme. » KIERKEGAARD, *L'Instant. Libelles de 1854 à 1855* ; trad. E. M. Jacquet-Tisseau, *Œuvres complètes*, Éd. de l'Orante, t. XIX, p. 175.

parlant, le simple fait d'appartenir au christianisme est resté inefficace, puisque cela n'a pu les guérir de ces peurs. Bien sûr, considérée en *soi*, la foi délivre de la nécessité de la faute et de la tragédie de l'échec. Mais dire cela ne montre absolument pas comment une personne précise adopte vraiment cette perspective de foi. Or l'acceptation du christianisme est quelque chose qu'on ne saurait soumettre à une quelconque vérification. Il est donc parfaitement grotesque de promulguer dans le cadre de l'Église ordonnances, commandements et lois qui n'ont de sens et d'efficacité que comme conséquences de la foi, mais qui n'ont autrement qu'un caractère d'exigences purement morales. La négation du tragique imbroglio de la volonté humaine, fruit de ce bel optimisme avec lequel on a voulu considérer l'homme, n'aboutit finalement qu'à une violence inhumaine. On n'a manifestement même pas vraiment pris en compte le fait que le saint, le « sauvé par excellence », ayant toujours à vivre parmi des hommes qui ne sont pas des saints, a bien dans quelque mesure part à la tragédie commune. Et pourtant, on peut le constater, ce sont finalement les gens dont la foi leur a permis de se trouver eux-mêmes qui sont vraiment capables d'entrer en relation avec les autres et de créer avec eux un lien durable, tandis que la perte de Dieu conduit les humains soit à se dénigrer, soit à se déifier, ainsi que le fait bien voir le Yahviste dans les récits qui suivent celui du péché originel (Gn 3,14 ; 6,14) ; et la loi mosaïque a été assez réaliste pour tenir compte de cette « dureté du cœur de l'homme » (Mc 10) en déclarant dissoluble l'union de l'homme et de la femme. C'est pourquoi l'Église catholique a raison de bien marquer que le mariage, quand il est sacrement contracté dans la foi, est indissoluble. Mais elle se refuse obstinément à tenir compte du caractère tragique d'échecs matrimoniaux tels que nous les avons décrits en parlant des différentes formes de rencontre de l'anima[71]. Ce qui l'a conduit à faire de l'indissolubilité du mariage un devoir moral, comme si la grâce de l'amour dépendait de la bonne volonté morale de l'homme ! Encore moins consent-elle à reconnaître que bien souvent c'est justement le caractère simpliste de cette bonne volonté qui provoque l'échec d'un couple, ainsi que nous l'avons précédemment montré. Que faire, quand un des deux époux parvient à affronter certains problèmes, par exemple celui de la rencontre de

71. Voir note 39.

l'anima, sans sombrer pour autant dans la névrose, mais que l'autre ne parvient pas à répondre au rôle qui lui revient alors aux côtés du premier : par exemple celui, à tous points de vue mineur, celui de figure de l'anima ? Que penser de la femme qui devient alcoolique parce qu'elle se sent inférioriseé par la vertu de son mari ? Des enfants qui se font une image tellement idéalisée de leur père ou de leur mère que leur développement s'en trouve bloqué[72] ? Que penser des dégâts que peut provoquer une personne parfaite dans le monde imparfait qui l'entoure ? Pour ne pas nous limiter aux problèmes du mariage et de la famille, un peu trop ressassés par les clercs, peut-on penser réalistes les « exigences » du Sermon sur la montagne, pardon des offenses, amour des ennemis, humilité, pureté, etc., sinon dans la mesure où elles *découlent* de la foi ? Si on les coupe de ce qui les fonde, du travail de la foi grâce auquel le croyant a pu se débarrasser de sa névrose d'angoisse, ce ne sont plus que des utopies idéalistes auxquelles on s'efforce vainement de conférer un statut moral.

Comme pour se donner un bon alibi face à toutes ces formes d'échec de la bonne volonté, l'Église a défini un dogme qui lui permet apparemment de refouler définitivement le caractère tragique de la vie humaine. Elle a déclaré que Dieu ne saurait consentir à ce que quelqu'un soit tenté au-delà de ses capacités de résistance *(Ultra posse nemo tentatur)*, ou, pour parler plus positivement, que Dieu donne à chacun la mesure de grâce dont il a besoin pour résister à la tentation. On ne saurait donc plus parler d'inclination nécessaire au mal[73]. Sans doute reconnaît-on

---

72. Qu'on pense aux personnages des romans de Pearl Buck, par exemple à Stephen Worth, dans *Bright Procession*, qui se trouve tiraillé entre son attachement au presbytère paternel et les nécessités psychiques du *management* moderne ; ou au problème de la découverte de soi, tel que n'a cessé de le poser Hermann Hesse, en partant de sa propre expérience de fils de pasteur, par exemple dans *Klein und Wagner* (1931).

73. C'est ainsi que le concile de Trente dans le canon 18 de la session VI (Dentziger, 828) a défini que Dieu donne à tous les justes la grâce suffisante pour observer ses commandements. Il s'appuie sur l'ouvrage de saint Augustin, *De la nature et de la grâce* (chap. 43, 50) où il est dit : « Dieu ne nous commande rien d'impossible, mais, par son commandement, il nous avertit de faire ce que l'on peut » (voir J. Brinktrine, *Die Lehre von der Gnade*, Paderborn,1957, p. 123-124). Cependant la question n'est pas que celui qui est déjà sauvé et justifié peut encore être contraint au mal ; elle est que, selon la doctrine de la rédemption, seul

qu'il peut y avoir un obstacle à cette grâce (un *obex gratiae*), mais on considère alors cette résistance elle-même comme un péché – oubliant au moment même d'ajouter que l'obstacle qu'on appelle « péché originel » ne consiste finalement en rien d'autre qu'à se trouver « exclu » de la grâce. La délivrance de l'angoisse constitutive du péché originel n'est finalement pas l'effet d'un acte de volonté, mais d'un élan de confiance.

Au lieu donc de recourir à l'explication pélagienne simpliste de la tragédie de l'existence humaine, celle d'un manque de bonne volonté, donc celle d'une faute qu'on pourrait parfaitement éviter si on le voulait, il vaudrait mieux reconnaître que ce monde, encore fort éloigné du Royaume de Dieu et du paradis céleste, est de facto tragique : de toutes sortes de façons, il provoque le mal. Qu'on dise alors que la faute qu'on commet est un indice de manque de foi ! Mais qu'on cesse de multiplier les commandements au nom d'une sophistique moralisatrice et de faire alterner appels au sacrifice héroïque et reproches injustifiés là où les gens attendent qu'on les aide à surmonter leur sentiment d'impuissance et d'abandon.

Dieu peut délivrer l'homme séparé de lui de la nécessité de faire le mal. Le problème difficile est donc de savoir comment la découverte d'une justification préalable parfaitement gratuite peut vaincre le système quasi névrotique de l'angoisse et du désespoir, avec tout l'effort désespéré pour se sauver soi-même qu'il implique. En considérant la foi comme une donnée allant parfaitement de soi dans nos pays occidentaux, ou en la réduisant à une pure question juridique d'appartenance ecclésiastique, l'Église ne fait que détourner du problème essentiel que pose cette foi. Tout naturellement, la théologie morale des deux derniers siècles se détache alors de plus en plus de son ancrage dogmatique. Elle cesse de décrire les conséquences de la démarche de foi sur le comportement humain, pour se réduire à une simple branche de l'éthique philosophique, autrement dit à une pure affaire de casuistique ecclésiastique. Ce n'est plus alors le comportement de la personne qui compte, mais l'acte individuel objectif et le commandement de Dieu ou de l'Église. Le discours sur la nécessité de la grâce divine se transforme donc en pure idéologie venant justifier une praxis extraordinairement légaliste qui croit pouvoir exiger à tout moment tout et n'importe quoi du soi-disant croyant. Tout en se proposant formellement de rappeler le « principe » théologique de la grâce, on ne fait plus que justifier une ascèse morale volontariste, précisément celle à laquelle venait s'opposer l'affirmation de la nécessité existentielle de la foi.

La fausse justification de l'horreur : l'exemple de la guerre juste.

En reconnaissant délibérément le tragique, le christianisme, disons plus précisément le catholicisme, pourrait se libérer de l'étau dans lequel sa doctrine morale l'a inexorablement coincé en réduisant les imbroglios dramatiques dans lesquels les gens se trouvent empêtrés à de simples conséquences de leurs fautes morales.

Il y a cependant des cas où cette vision devient intenable : c'est ce qui se produit lorsque des hommes ne peuvent plus éviter de poser certains actes, en soi mauvais, et donc moralement condamnables. Mais les moralistes ont alors réussi le tour de force consistant à déclarer qu'on ne devait pas seulement tolérer ces actes, même les plus horribles, à titre exceptionnel : on devait les considérer comme un devoir auquel il serait mal de se soustraire. On reconnaît donc enfin qu'il y a des cas de nécessité tragiques. Mais puisqu'il est impossible de dire un mal nécessaire, il faut donc montrer qu'il est bon, ce qui rend alors possible d'interpréter cette nécessité en termes de devoir. L'exemple aussi énorme que contestable, mais typique, de cette façon de procéder, c'est la doctrine de la guerre juste, celle que la théologie a reprise tout au long de son histoire, celle qui était sous-jacente aux cas de tragédie collective que nous avons précédemment analysés[74]. Son idée fondamentale est naïve, mais fort éclairante : on doit reconnaître à l'État le droit de se défendre contre une agression militaire injuste, à condition toutefois de ne pas recourir à des moyens en soi condamnables (par exemple guerre bactériologique, torture, exécutions d'otages), que la guerre n'outrepasse pas les

74. Voir les théories que pouvait encore exposer J. MAUSBACH, dans sa *Katholische Moraltheologie*, t. III : *Die speziale Morale*, 2 Teil : *Der erdische Pflichtemkreis* 1930 6ᵉ éd., p. 71-75 : « Le droit de faire la guerre implique le droit de tuer. Car en définitive le combat que mène l'État est vraiment un combat d'hommes, c'est-à-dire celui des hommes valides qui incorporent sa puissance physique. En offrant sa vie dans une guerre juste, on rend le plus haut service de fidélité à l'État et au peuple. Dans une guerre injuste, les combattants subjectivement coupables ne font en souffrant que trouver un destin mérité. Mais s'ils sont de bonne foi, c'est leur État qui mérite cette destinée dans laquelle ils se trouvent entraînés » (p. 73). Quelle belle simplicité est celle de la théorie ! Il faut ajouter que, quelque douze ans après Verdun, Mausbach concédait que les formes modernes de guerre, avec toutes leurs horreurs, ne semblaient plus pouvoir se justifier en droit (p. 75). Sur ce problème de la guerre, voir E. DREWERMANN, *Der Krieg und das Christentum*, Regensburg, 1982.

nécessités et qu'elle puisse présenter une chance minimale de succès. Bien sûr, on rappelle que cette doctrine ne vaut qu'en cas d'urgence et on admet candidement qu'elle est absolument incompatible avec le principe de non-violence du Sermon sur la montagne. Mais tout le problème est alors de savoir quand cette loi d'urgence devient elle-même inapplicable. Il est déjà devenu fort discutable de concéder à l'État le droit de déclarer une guerre « juste », quand ce sont quelques grandes familles, propriétaires des deux tiers du sol national, qui ont accaparé le pouvoir en maintenant intentionnellement le peuple dans un état de dépendance, de misère et d'ignorance[75]. De plus, même s'il y a attaque injuste, on risque de se trouver pris dans un engrenage fatal : le plus souvent, et ce fut le cas de la Première Guerre mondiale, la situation politique évolue jusqu'à un point où on ne voit plus d'autre solution que violente. Et comment déterminer le droit, alors que l'histoire est continuellement faite de conquêtes et de déplacements de frontières[76] ? On discute encore aujourd'hui pour savoir si l'annexion des Sudètes de septembre 1938 était juste ou injuste. Que dire des moyens ? Faut-il dire qu'une guerre perd tout sens, donc devient immorale, dès lors qu'on en est réduit à se ruer avec des lances contre des blindés, comme ce fut le cas pour les Abyssins lors de l'attaque italienne en octobre 1935[77] ? Et, inversement, peut-

75. Qu'on pense à la guerre des sandinistes contre le clan des Somosa, en 1979, au Nicaragua, guerre que bénissaient les évêques et les prêtres locaux.

76. Existe-t-il une frontière qui n'ait été imposée à un moment donné par la force de celui qui s'approprie le pays ?

77. D'après la théologie morale classique, une guerre est immorale s'il n'y a absolument aucune perspective de victoire. Voir MAUSBACH p. 75. Mais les Abyssins étaient-ils immoraux ? En 1939 les Polonais ont-ils commis un crime en se dressant désespérément contre une armée hitlérienne qui leur était bien supérieure ? Et a-t-on sérieusement l'intention de blâmer les trois mille Sioux, Arapahoes et Cheyennes qui, les 25 et 26 juin 1976, à Little Horn, au Montana, tombèrent sur les six cents soldats du général G.A.Custer, et massacrèrent jusqu'au dernier les deux cent quarante-six hommes de la colonne principale ? Sitting Bull, qui menait le combat, savait parfaitement que cette victoire avait encore un sens humain, mais non plus de sens stratégique. C'était la dernière manifestation de résistance contre l'irrésistible, mais injuste, projet des Blancs, et la démonstration du fait que les Indiens n'étaient pas de simples animaux dépourvus de tout droit. Aussitôt après la bataille, Sitting Bull répartit les Sioux en petits groupes et s'enfuit vers la frontière canadienne. Il avait engagé le combat sans aucune perspective de victoire. On trouverait cependant difficilement dans l'histoire une guerre à laquelle on devrait davantage reconnaître le caractère de bon droit, et à laquelle on aurait pu souhaiter davantage une issue victorieuse. Voir H. J. STAMMEL, *Die Sioux. Amerika und seine Indianerpolitik*, Munich 1979, p. 228-268.

on renoncer à engager tous les moyens disponibles, quand l'ennemi est militairement le plus fort et ne fait preuve d'aucun scrupule à engager les siens[78] ? Mais, depuis Verdun, « engager tous les moyens » signifie faire appel à une technique toujours plus sophistiquée en vue d'anéantir mécaniquement et totalement tous les adversaires. Même celui qui accepte comme valable en soi la doctrine de la juste guerre doit bien reconnaître qu'il n'y a pour ainsi dire jamais eu un cas où on ait vu se réaliser les conditions qu'elle pose, et qu'il n'y a de guerre, même au motif le plus « juste », qui ne tourne à la tragédie.

Mais, au lieu de reconnaître ce caractère tragique, on se fait un devoir de le nier et de justifier l'horreur avec des arguments trompeurs : il ne saurait exister de nécessité de faire le

---

78. Qu'on lise à ce sujet le discours que tenait en 1675 Metacomet, le sachem des Wampanoags, pour justifier la guerre contre les Anglais. C'est un document émouvant montrant comment un peuple, qui ne voyait jusque-là dans la guerre qu'une sorte d'épreuve de courage, se vit forcé par les Blancs de recourir à des massacres qui constituaient pour lui la seule chance de survie. « Frères, déclara Metacomet, surnommé le roi Philippe, vous avez sous les yeux le vaste pays que le Grand Esprit nous a confié à nos pères et à nous. Vous y voyez les buffles et les cerfs qui nous nourrissent. Frères, vous voyez ces nourrissons, nos femmes et nos enfants, qui attendent de nous nourriture, vêtement et protection. Et vous voyez maintenant ces barbares à la peau blanche qui deviennent de plus en plus barbares et sauvages. Ils méprisent nos anciens usages. Vous constatez qu'ils ont rompu tous les traités que nos ancêtres et nous avions signés, et que nous avons subi les pires offenses. On s'est moqué des décisions du conseil et de nos vieilles coutumes. On a tué nos frères sous nos yeux, et leurs esprits nous supplient de les venger. Frères, ces gens venus d'un monde inconnu abattront nos forêts, détruiront nos terrains de chasse et nos champs. Ils nous chasseront, nous et nos enfants, des tombes de nos ancêtres et de nos feux du conseil, et ils réduiront en esclavage nos femmes et nos enfants. Frères, il est impossible de vivre en paix avec ces Blancs. Il faut soit les laisser nous anéantir, soit chercher à les anéantir. Mais cela n'est possible que si nous acceptons de faire la guerre, non selon nos coutumes, mais comme eux la font ; donc une guerre d'embuscade, avec la volonté de massacrer tout ce qui a la peau blanche. Je sais que nous devons nous renier nous-mêmes en tuant des enfants, des femmes et des vieillards qui ne peuvent se défendre. Mais nous devons le faire, car ces enfants deviendront un jour des hommes qui tueront nos femmes et nos enfants, des femmes qui donneront à leur tour vie à des enfants qui, devenus adultes, tueront nos femmes et nos enfants. Dans le passé, nous ne voulions pas le croire. Mais c'est un fait : il n'y a de bon Blanc que mort. Frères, nous devons nous unir, ou bien nous périrons.» (D'après J. STAMMEL, *Die Indianer. Die Geschichte eines untergangenen Volkes*, Munich, 1979, p. 103-104.)

mal... donc on finit par considérer comme un devoir chrétien de se préparer à une guerre atomique ! C'est déjà un énorme progrès que, compte tenu du caractère effroyable des armes de destruction, le concile Vatican II ait reconnu la légitimité chrétienne de l'objection de conscience. Il admettait ainsi indirectement que le service militaire puisse constituer un drame[79]. Mais au moment du réarmement de la république fédérale d'Allemagne, la hiérarchie catholique de ce pays a déclaré à l'unanimité qu'aucun catholique n'avait le droit de refuser de servir sous les drapeaux (en cas d'agression injuste) ; et, lors d'une des grandes heures du parlement, le droit à l'objection de conscience n'a finalement été reconnu qu'en dépit de l'opposition explicite et déterminée du père Hirschmann, SJ. Si Peter Neller, député CDU de Münster, n'avait pas su rappeler la doctrine suivant laquelle un catholique doit obéir à sa conscience, même si elle est fausse, et que l'État se doit de protéger cette obéissance, une des lois actuellement les plus importantes de la République fédérale n'existerait pas et on devrait alors faire son service militaire sous peine de prison, comme c'est actuellement le cas en France et en République démocratique allemande.

Voilà les conséquences de ce besoin forcené de transformer en devoir moral ce qui n'est que triste nécessité. Et cela parce qu'on croit nécessaire de nier le caractère tragique du réel[80].

79. La constitution pastorale « L'Église dans le monde de ce temps », du 7 décembre1965 déclare au chap. v, n. 79 : « Il semble équitable que des lois pourvoient avec humanité au cas de ceux qui, pour des motifs de conscience, refusent l'emploi des armes, pourvu qu'ils acceptent cependant de servir sous une autre forme la communauté humaine » (Éd. Fides, 2ᵉ éd., 1967, p. 258).

80. Revenons encore au problème de la guerre dite juste. Pour mesurer la distance qu'il y a de la théorie au terrain concret, celui où il faut bien prendre des décisions tragiques et en répondre, rappelons le cas de Jochen Klepper. Marié à une juive, il avait pleinement conscience du caractère criminel des buts de guerre de ce régime effroyable qu'était le national-socialisme. En dépit de ses résistances intérieures, il ne se refusa pas à porter les armes, car « il faut totalement découvrir l'homme sous le regard de Dieu » (J. KLEPPER, *Unter dem Schatten deiner Flügel. Aus den Tagebüchern der Jahres 1932-1942*, Stuttgart, 1972, p. 228-229). Qu'il puisse exister un sentiment de solidarité et d'inéluctabilité devant une faute qu'il faut assumer avec les autres, une faute qui ne permet même plus de battre en retraite dans le « champ de Jérémie », la « tragique idylle » (p. 234), certes. Trouverait-on dans l'Église quelqu'un qui ait le courage de prendre à ce point au sérieux la doctrine du péché originel et de la nécessité de la Rédemption ? « Nous sommes tous des assassins

La question de la guerre n'est ici qu'un exemple. Il serait facile de généraliser le problème en montrant qu'il n'y a de règle morale qui ne débouche sur des imbroglios tragiques. Et chaque fois, on se croit réduit à l'alternative absurde, soit de n'admettre en conscience la fatalité de la faute que comme une apparence fallacieuse, soit de faire peser comme un reproche sur l'individu le caractère contraignant de la situation dans laquelle il se trouve. De toute façon, on est gravement injuste envers les gens : dans le premier cas, on les force à être plus immoraux qu'ils ne le sont réellement et à fouler aux pieds leur instinct naturel du bien et du mal ; dans le second, on en arrive à leur imputer comme une faute le malheur qui leur arrive. Facile de prendre un air libre et dégagé ! L'appel au christianisme pour nier le drame de la vie humaine n'est en réalité qu'une façon incroyablement cruelle de se décharger des contraintes et d'échapper aux impasses du réel.

Si donc le chrétien n'a pas le courage d'affronter avec tout le sérieux nécessaire ce problème qui touche au cœur de sa foi en la nécessité de la rédemption, il ne doit pas s'étonner de découvrir qu'il passe de plus en plus à côté des véritables questions de l'homme, avec tout ce qu'elles ont de complexe et de divers. Rien d'étonnant alors qu'on cherche à compenser le manque d'intelligence et de compassion par la multiplication des mises en garde et des objurgations. Mais on ne fait ainsi que meurtrir davantage ceux qui souffrent. Après avoir déjà réduit à rien la portée dogmatique du christianisme, on contribue ainsi à en détruire de plus en plus le crédit moral.

La reconnaissance du tragique suppose certes en même temps celle d'une réalité sur laquelle on s'est jusqu'à présent

---

devant Dieu », aurait dit J. Klepper au moment de son incorporation. En rappelant ce mot, R. Schneider ajoute : « Même l'Église ne peut échapper à la contradiction, car elle est justement le lieu de la croix [...] et la cruci-fixion fut le haut lieu de la liberté [de Jésus] [...] L'Église ne peut qu'annoncer cette liberté, mais non sanctionner des devoirs. » (R. SCHNEIDER, *Verhüllter Tag. Bekenntnis eines Lebens*, Fribourg-Vienne, 1961, p. 158-159.) Ce qui s'oppose vraiment à l'Église, ce n'est pas l'incroyance déclarée, c'est la façon commode dont on subtilise le caractère tragique de la décision de foi au profit d'un moralisme superfi-ciellement univoque : la relation à Dieu se réduit à l'abstraction de la phi-losophie des Lumières. Au moment même où on prétend ainsi prendre Dieu au sérieux, on dépouille en réalité l'existence chrétienne de tout sérieux.

obstiné à fermer les yeux : celle d'un inconscient présent dans les profondeurs de la psyché et, partant, la valeur de la psychanalyse et de son interprétation de l'angoisse humaine. Cela suppose aussi qu'on en vienne enfin à accorder plus d'importance à la personne qu'au « succès populaire ». Est-ce vraiment là chose impensable ?

LE TRAGIQUE DE LA FINITUDE HUMAINE, AUTRE NOM DU TRAGIQUE DIVIN

Jusqu'à présent, nous n'avons envisagé que deux formes de tragédie : celle où l'individu, mis en contradiction avec la morale universelle, se trouve nécessairement coupable du fait que son inconscient se dresse contre sa conscience explicite (c'est le cas de la névrose) ; celle où des circonstances elles-mêmes pathologiques le conduisent à agir à l'encontre de ses convictions morales les plus intimes, du fait de l'impossibilité d'une unification parfaite de l'éthique. Pour toutes les raisons que nous avons analysées, le chrétien peut avoir du mal à les admettre. Sa réflexion sur la doctrine du péché originel devrait pourtant lui faire reconnaître comme un devoir théologique l'obligation d'approfondir psychologiquement le problème de l'angoisse et de reprendre alors à nouveaux frais celui de l'éthique, afin d'y apporter une réponse de foi.

La théologie aura en revanche beaucoup plus de mal à admettre une troisième et dernière forme du tragique : celle qui consiste, non plus dans le caractère inévitable d'une faute, mais au contraire dans l'innocence d'une défaillance qui, elle, est nécessaire.

Nous ne sommes plus ici dans l'univers de la faute. Il se trouve simplement que certaines circonstances qui, prises en elles-mêmes, ne devraient rien avoir de tragique ni de coupable, viennent ébranler certaines personnes en elles-mêmes intègres et pleines de bonne volonté. Mais, dans ces circonstances, cette intégrité et cette bonne volonté sont justement ce qui transforme inéluctablement un conflit en tragédie. Les acteurs de ce qui devient alors un drame sont tout simplement dépassés. Il se produit ce que Stephan Zweig a très judicieusement qualifié de « disproportion qui existe entre un homme et son destin[81] ».

Or, s'il y a quelque chose qui puisse ébranler la croyance en un Dieu providence qui guiderait finalement les événements avec bonté et sagesse, c'est bien des cas de ce genre : devant eux, comment le théologien ne sursauterait-il pas ? Car, ici, c'est clair : impossible de parler de culpabilité, ni à propos des personnes, ni à propos des circonstances. Il y a simplement un hasard venant impitoyablement briser certains êtres totalement inadaptés à ce qui leur arrive, victimes innocentes qui deviennent elles-mêmes cause de la souffrance d'une multitude.

Pourquoi faut-il donc que ces histoires arrivent à ces gens-là ? L'échec est évident d'avance ! Pour éviter le gâchis, la destinée devrait au moins tenir compte des personnes : choisir des gens de classe pour les missions de classe, et se contenter de gens de moindre gabarit là où suffit une honnête moyenne ! Pourquoi faut-il donc voir certaines personnes, naturellement taillées pour le grand large, traîner leur barque dans des chenaux envasés et finir par s'ensabler dans les tâches médiocres dont la vie les accable, tandis que la tempête entraîne et broie en haute mer ceux qui, psychiquement, étaient faits pour rester caboter tranquillement le long des côtes ? Qui donc a péché, l'homme ou la destinée, pour qu'il faille assister à cette étrange disproportion entre les capacités d'un homme et la mission qui lui est soudain impartie ? Ici, il faut bien mettre Dieu en cause et parler de tragique divin. Or c'est cela que la religion a le plus grand mal à admettre, alors que c'est là qu'elle aurait à faire preuve de sa capacité à hausser l'homme à la mesure de son destin.

Nul besoin d'aller chercher loin, pour voir éclater définitivement le caractère mensonger des déclarations théologiques sur la suffisance de la grâce divine. Les cas abondent quotidiennement, coups du sort apparemment minimes, mais qui transforment soudain en véritable tragédie une vie jusque-là banale et sans relief.

Que dire par exemple, humainement et théologiquement, d'une femme douée d'assez de force d'âme pour rester aux côtés d'un homme qu'elle doit tant bien que mal porter et protéger ? Elle a vaqué aux soins du ménage et a élevé ses

---

81. Stephan Zweig, *Marie-Antoinette*, trad. A. Hella, Grasset 1989, p. 6.

enfants. Vaille que vaille, elle en a tiré son petit bonheur, fort précieux à sa mesure. Et son mari meurt ! La voilà seule, trompée par le destin, incapable de faire désormais face à sa situation. Pour s'étourdir l'esprit, noyer ses sentiments, elle se met à boire. Elle laisse traîner son travail. Faute, vis-à-vis de ses enfants qui ont plus que jamais besoin d'elle ! Mais elle ne le sent que trop : la mort de son mari l'a vidée. Avant même d'être à bout physiquement, elle l'est psychiquement. Mort vivante ou vie morte ? De toute façon, souffrance insupportable sinon dans l'engourdissement ! Devant un tel malheur, qui osera encore parler de culpabilité ?

Simple exemple parmi ces milliers qu'on rencontre tous les jours dans la vie. Bien sûr, à considérer objectivement la défaillance psychique, il y a faute. À en croire le théorème théologique, pour y échapper, il suffirait de faire vraiment appel à cette grâce que Dieu tient disponible pour tous, celle qui donne à chacun la force de s'« en tirer » dans tous les cas possibles.

Du caractère ! Mais, psychologiquement parlant, demander cela, c'est demander l'absurde. Car le caractère n'existe pas en soi ; il n'est rien d'autre que l'empreinte que, dans un certain cadre, certaines circonstances précises laissent sur un être. Ce sont alors les personnes de caractère, celles dont les traits sont les plus accusés, donc en un certain sens les plus figés, qui se montrent par là même les plus menacées : elles sont incapables de s'adapter aux changements de situation. Plus quelqu'un a du caractère, plus celui-ci colore sa vie, et plus il semble infailliblement condamné à se faire happer par la destinée : il ne se révèle finalement qu'être fragile, manifestement voué à sa perte. Il lui manque ce qui est l'exact opposé du caractère : la souplesse face aux vicissitudes du sort. On pourrait dire de ces gens d'acier, nets et bien profilés, trempés à jamais dans le bain où ils sont nés, qu'ils peuvent casser au moindre changement de circonstances : ils ressemblent à ces espèces animales douées de capacités extrêmement spécialisées, et donc particulièrement bien adaptées à certaines tâches, mais condamnées à disparaître aux plus minimes variations écologiques, parce que leur nouveau milieu leur en demande trop.

Psychologiquement parlant, impossible donc d'attendre de quelqu'un qu'il puisse faire face à n'importe quelle situation. Il est dépassé !

Théologiquement, il est également absurde d'espérer une grâce divine venant suppléer aux défaillances d'une capacité humaine. Dieu ne fait pas ce « miracle » : il irait à l'encontre de son œuvre créatrice et contredirait la doctrine théologique d'une grâce qui suppose et accomplit la nature humaine, mais ne la crée ni ne la change de fond en comble.

Reste alors le fait : ces gens lancés sur une route qui, à partir d'un certain point, leur en demande trop. Leur caractère leur avait permis de partir d'un bon pas. Mais la sente étroite à laquelle ils s'étaient habitués débouche sur l'immensité de l'espace, à moins qu'au contraire une embardée les projette soudain hors de la grand-route pour les laisser tout engourdis se traîner sur un sentier. Eh oui ! Il arrive que la destinée conduise les gens à se méprendre sur leur mission, mais aussi sur leur être profond. C'est après coup, alors qu'il est déjà trop tard, qu'ils découvrent la façon dont ils auraient dû mener leur vie. Pour reprendre l'amer propos d'Emmanuel Kant, il est vraiment terrible, et c'est le cœur de la tragédie humaine, de ne parvenir à la sagesse et à l'intelligence de ce que devrait être la conduite de la vie qu'à l'âge où on arrive au bout[82].

Ainsi Stephan Zweig décrit-il le caractère tragique de la vie de Marie-Antoinette. Vingt ans durant, cette fille de Marie-Thérèse ne fut qu'une enfant gâtée, superficielle et frivole. Et elle, la princesse de la mode, la reine des bals, l'ordonnatrice des volutes du rococo, découvrit soudain avec effroi que « de l'autre côté de la grille dorée des millions d'hommes espèrent en leur souveraine »[83]. «La faute de Marie-Antoinette, cette idée, ou plutôt cette étourderie de croire qu'on pouvait sacrifier pendant si longtemps l'essentiel au superficiel, le devoir au plaisir, le difficile au facile, la France à Versailles, le monde véritable à son univers de plaisirs, cette faute historique est presque inconcevable»[84]. Mais était-ce bien de sa faute, à elle ?, faut-il se demander avec l'auteur. Comment

---

82. KANT, *Conjectures sur les débuts de l'histoire humaine* (1786), dans *La Philosophie de l'histoire*, trad. S. Piobetta, Éd. Aubier-Montaigne, 1947, p. 165, n. 1. « Ce n'est pas tout à fait sans raison que le philosophe grec se lamentait : "il est dommage de devoir mourir alors qu'on a à peine commencé à découvrir comment on aurait dû vivre". » (Traduction légèrement modifiée.)

83. Stephan ZWEIG, *Marie-Antoinette*, p. 102.

84. *Ibid.*, p. 102-103.

cette jeune Autrichienne, dont le monde baroque avait fait son point de mire, son modèle, son idole, aurait-elle pu connaître autre chose que le vide, se refusant à rien savoir « de tout le malheur et de la tristesse du monde »[85] ? Mais c'est bien là le tragique de l'effroyable échec de l'épouse de Louis XVI : elle aurait eu besoin d'un maître énergique, et non de ce mari indolent, perpétuel indécis aussi incapable de bien que de mal, entiché de chasse et de bonne chère, et, finalement, parfaitement repoussant à ses yeux. Il est effrayant de penser à ce que dut être son réveil, à cette découverte soudaine d'une faute qu'elle n'avait pas voulue, mais dont elle était coupable du simple fait de n'avoir pas perçu l'époque où elle vivait, ou plutôt, étant donné ce qu'elle était, de n'avoir pu la percevoir.

Que penser alors de tous ces gens qui, à la différence des précédents, sont, non plus redevables de ce dont ils sont en réalité irresponsables, mais coupables du simple fait que leur caractère ne leur a pas permis de se rendre compte à temps de la responsabilité qui leur incombait ? Que penser de tous ceux que leur naissance, leur hérédité, leur nom, ou un quelconque effet du hasard, a mis dans une position où ils devaient nécessairement rater, incapables qu'ils étaient, de par leur personnalité, de comprendre les exigences objectives de situations nouvelles et encore moins d'y réagir de façon adaptée ? Mariée à un autre époux, à un véritable homme, Marie-Antoinette aurait pu non seulement être heureuse, mais se montrer à la hauteur de sa tâche. Elle n'aurait pas eu à attendre les jours de tempête, les Tuileries ou le Temple, avec au bout la Conciergerie, pour comprendre son malheur. Trop tard ! comme ne cessent de le redire à tour de rôle tant d'humains, stupéfaits de découvrir que leur propre vie leur est restée étrangère.

Échec d'un être, en lui-même innocent, mais incapable de se hausser à la mesure de son destin ! Comment cela ne ferait-il pas aussi voler définitivement en éclat le second volet du grand discours théologique : la providence divine, une providence qui intervient dans le cours des vies particulières.

On considère souvent comme centrale dans le christianisme la doctrine suivant laquelle Dieu ordonne et planifie la vie personnelle des gens de façon à mener toujours et à jamais

85. *Ibid.*, p. 103.

à bien ses décrets concernant le cours du monde[86]. Vision des choses particulièrement aveugle à la présence du tragique au cœur de la vie humaine ! Elle se heurte fort douloureusement à la réalité d'une nature qui suit son cours, non seulement sans jamais prêter aucune attention au bien-être physique des humains, mais sans même jamais cesser de les accabler moralement sous les coups de ses catastrophes.

Même Leibniz, ce philosophe inventeur de la théorie de l'harmonie préétablie et du meilleur des mondes possibles, n'alla jamais dans sa théodicée jusqu'à affirmer la possibilité de comprendre la nature et le cours de la vie humaine du seul point de vue de l'homme, encore moins du point de vue de l'individu[87]. L'ordonnance du monde ne tient absolument aucun compte du bonheur des personnes ; bien plus : elle suppose le plus souvent les innombrables souffrances qui leur sont infligées. « Imagine-toi, interroge Ivan Karamazov, imagine-toi que c'est toi qui bâtis l'édifice des destinées humaines pour aboutir finalement à rendre les hommes heureux, à leur donner enfin la paix, le repos. Mais, pour atteindre ce but, il t'est indispensable de torturer rien qu'un seul petit être... Consentirais-tu à être l'architecte dans ces conditions ?[88] » Dans la perspective de l'individu, c'est bien la question troublante. Mais la nature, la destinée, répondent oui, clairement et sans hésitation. Elles se refusent à soupeser un instant le poids tragique de la vie personnelle. Tout au contraire, elles calculent a priori le montant fort élevé de souffrances et de fautes individuelles, de destructions physiques et de failles morales qui permettent leur avancée.

Face à ce coût moral de la destinée, l'homme est bien semblable au moucheron qui « joue » au bord d'un ruisseau, un bel après-midi d'été. Un simple coup de vent léger, et le voilà dans l'eau qui le noiera. Quelques instants il se débat désespérément, puis va s'affaiblissant, désormais à la merci de la moindre ride. Il n'existe aucune « harmonie préétablie » du

---

86. En ce qui concerne l'anthropocentrisme et l'individualisme de cette idée, voir E. DREWERMANN, *Der tödliche Fortschritt. Von der Zerstörung der Erde und des Menschen im Erbe des Christentums*, Regensburg, 1981, p. 67-78.

87. Voir LEIBNIZ, *Essais de théodicée* (1710) ; Éd. Garnier-Flammarion, 1969.

88. F. M. DOSTOIEVSKI, *Les Frères Karamazov*, trad. par Boris Schlœzer, Stock, 1949, p. 342.

monde ; il n'y a aucune providence spéciale, ni empirique ni philosophique, qui viendrait merveilleusement répondre aux besoins et aux appels de l'individu affronté aux diverses situations de l'existence[89]. L'harmonie du monde ne peut être que celle du tout. Et celui qui, comme Ivan Karamazov, proclame valeur absolue le bonheur de l'individu, homme ou animal, doit élever sa protestation métaphysique contre Dieu et rendre son ticket d'entrée dans l'existence[90]. Rien ne peut éviter à des milliards d'êtres individuels de se voir précipités dans un environnement trop exigeant pour leur organisme, tant psychique que physique, et ils n'ont rien à attendre d'autre. La vie n'est pas un long fleuve tranquille, mais un torrent qui peut submerger même l'être au caractère moral le mieux trempé. Erreur, impuissance, échec douloureux, désespoir : telles sont les formes les plus fréquentes de ce drame dont le responsable n'est pas l'homme, mais l'aménagement du monde, si toutefois il faut chercher un coupable. La tragédie fait partie de la création elle-même, et elle est fondamentalement celle du créateur. C'est bien pourquoi la religion a tant de mal à l'accepter.

Au lieu de faire appel à une théodicée, mauvaise parce que trompeuse, pour refouler la question de Job et redoubler ainsi l'accablement de l'homme sous le poids des reproches, il serait meilleur pour son salut d'admettre l'existence de circonstances, de coups du destin, contre lesquels il ne peut qu'immanquablement se briser. Au lieu de prétendre innocenter Dieu de cette faille inhérente à la création, il vaudrait mieux jeter une fois pour toutes par-dessus bord nos classifications en bon et en mauvais, en libre et en non libre, en coupable et en pénitent, pour redécouvrir simplement l'attitude de respect qu'appelle la souffrance humaine.

La théologie aurait tout à y gagner. Car elle pourrait enfin proposer une image crédible de Dieu. Après avoir dressé une détestable caricature de la foi chrétienne, la philosophie française s'est ensuite amusée à la démolir en présentant comme superflue et ridicule l'idée d'un sujet absolu, spectateur de l'histoire humaine. Mais qu'en est-il si, précisément en raison

89. En ce qui concerne l'idée de Providence et l'anthropocentrisme dans le christianisme, voir E. DREWERMANN, *Der tödliche Fortschritt*. p. 74-78.
90. Dans la ligne des personnages de Dostoïevski, penser aussi à ceux d'Albert Camus. Voir E. DREWERMANN, *Der tödliche Fortschritt*, p. 85-90.

de ses drames sans fin, l'humanité a vraiment besoin d'un Dieu capable de déceler la réalité et la vérité authentique d'une personne dans ses regrets tardifs, donc au-delà des échecs effectifs d'une volonté sans pouvoir ; d'un Dieu qui viendrait achever dans la durée de l'éternel ce que la personne a raté dans le temps qui lui était imparti ?

Se plaçant d'un point de vue strictement esthétique, Friedrich Schiller écrivait un jour dans ses considérations sur les formes artistiques de la tragédie : « Le but de la tragédie, c'est d'émouvoir. Sa forme, c'est la représentation d'une action débouchant sur la souffrance. » « C'est donc avec raison, ajoute-t-il, que le tragédien préfère les caractères mixtes, [autrement dit ceux qui souffrent de leurs faiblesses] et son héros idéal est à mi-chemin du parfait et du répréhensible[91]. » S'il est donc vrai, comme il le dit, que, par sa forme, l'art vise à susciter la compassion, l'émotion et la compréhension, à plus forte raison faut-il dire de l'existence tragique qu'elle appelle, non le moralisme, mais notre compréhension d'homme, et l'espérance confiante que, dans sa miséricordieuse pitié, le Dieu témoin de nos échecs est capable et désireux de rendre à l'homme son innocence au cœur même du drame de sa faute. Sur la scène de l'existence, il semble qu'on puisse résumer le drame de Dieu en disant que, face à sa création, et à travers elle, il ne cherche rien d'autre qu'à nous toucher : notre cœur endurci et pétrifié ne pourrait-il s'attendrir, et le rigorisme de notre jugement moral ne pourrait-il faire place à un peu plus d'humanité et de bonté ? Cette tragédie d'un Dieu devant les conditionnements et les contraintes de sa créature nous oblige encore plus à croire au pardon au-delà de nos carences, de notre vacuité et de nos échecs. Sinon, vaine aurait été toute notre souffrance.

91. F. SCHILLER, *Über die tragische Kunst*, 1792 ; *Werke* (2 vol.) Wiesbaden, Tempel Klassiker, s.d., t. II, p. 500.

2

Vaincre l'angoisse
et la culpabilité*

Peut-être nous faudra-t-il tout reprendre
au début, là où s'était arrêté l'homme
de Cro-Magnon... Le voyant sait comment,
pourquoi et où nous nous sommes écartés
du chemin. Il voit de plus qu'on n'y peut pas
grand-chose, dans la mesure où l'affaire touche
l'humanité tout entière. L'histoire doit suivre
son cours, disons-nous. Exact ! Mais pourquoi ?
Parce que l'histoire des mythes est le vrai mythe
du péché originel tel qu'il se révèle dans le temps.
Henry Miller, *Plexus.*

LA FIN DE L'OPTIMISME ÉTHIQUE :
L'HISTOIRE YAHVISTE DES ORIGINES

« La vie est un hôpital où chaque malade meurt d'envie de
changer de lit. L'un voudrait souffrir près du poêle, et l'autre

* Originellement, ce chapitre constituait l'introduction à la seconde
édition du troisième volume de *Strukturen des Bösen. Die jahvistische
Urgeschichte in exegetischer, psychoanalystischer und philosophischer
Sicht* (Schöning, Paderborn, 1980). C'est à cet ouvrage (abrégé *SB*) que
renvoient les notes.

est persuadé que, près de la fenêtre, il guérirait. » Insupportable délire ; fuite incessante du chaud au froid, de la fraîcheur de la raison à la brûlure de la sensualité ; quête désespérée du repos où, sous la pression de la souffrance, on salue le simple changement comme un bienfait ; perpétuel mensonge à soi-même ; malheur sans fin sous les continuelles fantasmagories de délices passagères : c'est ainsi que Charles Baudelaire[1] considérait la vie, quelques années avant sa mort.

Est-ce donc pessimisme que de voir ainsi les choses ? C'est ce que beaucoup penseront à la lecture de *Strukturen des Bösen*, et ceci en dépit des assurances allant en sens contraire. Ils se défendront contre les analyses de ce livre présentant l'existence comme un cas pathologique qui ne pourrait trouver de guérison qu'en Dieu. Ils protesteront contre une présentation où Dieu s'impose comme la seule issue au malheur de la vie, et ils ont crieront qu'on viole un homme finalement bien libre de croire ou non en lui. Ils ajouteront que, s'il est vrai que c'est l'angoisse de l'homme qui le rend méchant, on ne saurait faire de celui-ci un coupable. N'y a-t-il d'ailleurs pas beaucoup de gens qui ne commettent le mal, qu'à défaut d'avoir peur ? Le mal provient surtout de l'ignorance, de la bêtise, de la paresse, et plus encore de la pesanteur et de l'inertie du cœur.

Bien sûr, il semble beaucoup plus optimiste de déclarer que, même si les hommes se font du mal, à eux-mêmes comme aux autres, c'est par manque d'idées ou par simple incapacité de faire ce qu'on reconnaît juste. À partir du moment où la faute n'est plus que l'effet d'une défaillance de la volonté ou du caractère, d'un manque de compréhension des autres ou de circonstances extérieures, on peut toujours penser possible d'« y faire quelque chose » ; le problème du mal ne remet donc finalement pas en question l'éthique. Les hommes peuvent pécher, mais on peut aussi les enseigner, les éclairer, les avertir et même, en cas de besoin, les forcer à faire le bien.

C'est ce qu'ont pensé tous les grands moralistes.

Pour Socrate, le mal consiste en ce que l'homme n'a pas découvert la vérité qui gît en lui, mais qui, fort ironiquement, adopte un tout autre comportement que celui qu'il devrait

---

1. Charles BAUDELAIRE, « Le Spleen de Paris » ; *Œuvres complètes*, Gallimard, « Bibl. de la Pléiade », 1969, p. 303.

tenir comme juste en soi[2]. Telle était aussi la pensée du Bouddha : la racine de tous les maux, c'est l'*avidya*, l'ignorance : si les gens cessaient de s'identifier à ce qu'ils ne sont pas, s'ils reconnaissaient au contraire leur être véritable sous toutes les formes de l'existence, dans les choses et dans les êtres vivants, ils pourraient se débarrasser de la *trishna*, autrement dit de la soif du désir qui les rend prisonniers de l'éternel retour dans les cercles de la vacuité et de la démence. Ils seraient alors en état d'éprouver une compassion infinie envers toutes les créatures et ils n'auraient plus aucune raison de se faire du mal.

Les interventions des prophètes d'Israël pouvaient être beaucoup plus vigoureuses et plus directives, mais elles reposaient fondamentalement sur le même schéma : le Royaume de Dieu et le messie viendront quand Israël obéira aux commandements de son Dieu. Inversement, celui-ci viendra punir et châtier son peuple s'il continue à mépriser sa volonté.

Dans tous les cas, il n'existe aucune contradiction entre religion et éthique. Bien au contraire, on pourrait voir dans l'éthique la vérité de la religion, comme c'est le cas chez Bouddha et Socrate, et même il ne serait possible de sauver la morale qu'à condition de soumettre la foi en les dieux à la sévère critique de la raison : exactement l'idée que reprendront Emmanuel Kant et les philosophes des Lumières à l'époque moderne.

Pour les tenants de cette vision optimiste de l'éthique, les textes du début de la Bible sont sans aucun doute de l'ordre de la provocation : ils considèrent que l'homme commet inévitablement le mal du moment où il ne parvient plus à subsister en Dieu. Divergeant de tous les autres textes de l'Ancien Testament, mais étonnamment proche de certaines écoles de sagesse extrême-orientales, le Yavhiste était convaincu que, si l'homme ne se rattachait pas de façon absolue à son sauveur, il ne pouvait plus considérer que comme une terrible malédiction, comme une charge insupportable, sa nature d'être créé, autrement dit le fait d'être mortel, contingent, imparfait, celui de n'être qu'un pur donné, un homme et non

---

2. PLATON, *Gorgias*, 490a ; trad. L. Robin, *Œuvres complètes*, Gallimard, « Bibl. de la Pléiade », t. I p. 435.

3. H. Oldenberg, *Buddha*, p. 223-232. Voir H. v. GLASENAPP, *Die Philosophie der Inder*, p. 312.

4. K. SCHMIDT, *Buddhas Reden*, p. 109-110.

pas un être divin et absolu ; d'où sa tendance à tant miser sur ses appétits instinctifs de nourriture (Gn 3, 1-7), de puissance (Gn 4, 1-16) et d'amour (Gn 6, 1-4) au point de s'en détruire lui-même. Sans Dieu, l'homme ne supporte plus de n'être qu'un homme ; autrement dit il se montre incapable d'admettre sa non-nécessité radicale, son caractère superflu, l'insignifiance d'une existence sans aucune importance métaphysique. S'il ne veut pas déchoir, il lui faudrait pouvoir croire et admettre la présence, non d'une quelconque force de la nature, mais d'une volonté et d'une intelligence absolue située en deçà de celle-ci, à sa source, de quelqu'un qui lui reconnaîtrait et lui conférerait une dignité intrinsèque inaliénable. Or s'il est vrai, comme l'affirme la Yahviste, que l'homme ne peut être bon sans Dieu, c'en est fini de la perspective de l'éthique sur le mal : elle ne saurait absolument plus fournir le contenu du religieux, sa vérité. Bien au contraire, c'est la relation à Dieu qui décide de ce que quelqu'un est, et l'éthique n'a plus qu'une fonction purement secondaire, dérivée de la religion. La question primordiale de l'homme n'est donc plus : que dois-je faire ?, mais : que dois-je être ? Comment me faut-il me considérer ?

Dans le récit yahviste des origines, le célèbre épisode de Caïn et Abel (Gn 4, 1-16) montre ce qu'est le pouvoir réel de la morale, ou plutôt son échec nécessaire. Caïn a vraiment offert à Dieu ce qu'il avait de meilleur, mais il n'en a pas moins le sentiment que Dieu ne l'accepte pas. Car, à ses côtés, il y en a un autre, son frère, que Dieu « agrée », alors qu'il ne l'« agrée pas », lui. En traitant de l'inimitié entre frères, l'écrivain entend dire que, sans Dieu, l'homme ne peut entrer en relation à l'autre sans se demander lequel des deux présente la meilleure apparence. Si, antérieurement à toute relation à son prochain, l'homme a perdu le sentiment d'être totalement accepté par Dieu, il ne peut plus nécessairement que chuter dans un monde de concurrence. Il se transforme en guerrier luttant pour obtenir une reconnaissance sans cesse mise en péril. Craignant de n'être pas accepté, il ne peut plus d'emblée voir dans l'autre qu'un ennemi potentiellement mortel capable de venir lui dérober ce dont il a besoin pour vivre. Au moment où le visage de Caïn s'assombrit à la vue

5. *SB*, III, p. 17.
6. *SB*, I, p. 320-321.
7. *SB*, III, p. 277-278.

du bonheur de son frère, le Yahviste montre Dieu qui élève la voix pour lui redire ce que ne cesse de répéter la morale : il doit maîtriser le mal qui s'agite en lui ; il doit le vaincre (Gn 4, 7). Il n'est donc pas question d'une ignorance du bien. Pas question non plus d'un manque de bonne volonté. Tout au contraire, il semble bien que Caïn cherche vraiment à obéir à Dieu et à entrer en relation avec son frère (Gn 4, 8). Mais l'échange n'a pas lieu, car « il arriva que, comme ils étaient aux champs, Caïn se dressa contre Abel et le tua » (Gn 4, 8).

Ainsi les commandements et les injonctions de Dieu lui-même ne parviennent-ils pas à empêcher l'homme qui est séparé de lui de céder au mal : les efforts et la bonne volonté de celui-ci ne semblent finalement pas calmer son conflit intérieur, mais bien l'exacerber. La morale ne détourne absolument pas de la faute celui qui, coupé de Dieu, doit lutter à mort pour obtenir reconnaissance et justification. Elle provoque au contraire un conflit latent avec soi-même et avec les autres. Le Yahviste présente donc manifestement la morale et la bonne volonté comme extrêmement ambiguës : entre les mains de quelqu'un qui se trouve en lutte avec soi-même, elles se transforment facilement en instruments de destruction. Les forces du moi, intelligence et volonté, se mettent trop tard en branle : c'est déjà au fond de lui-même que l'homme a sombré dans le désordre.

LE PÉCHÉ ORIGINEL : UN DIAGNOSTIC SUR L'ANGOISSE DANS UN MONDE COUPÉ DE DIEU

Pour le christianisme, il est capital de penser juste. L'interprétation du récit yahviste des origines, telle que je la propose dans *Strukturen des Bösen*[8], montre combien la doctrine chrétienne du péché originel a raison d'oser se réclamer du « début » de la Bible, même si l'histoire des origines, avec ses images si riches et si amples, a une portée et une rigueur qui dépassent infiniment les conclusions qu'en tirent actuellement les traités dogmatiques sur la question. La religion juive, elle, n'a jamais tiré parti du texte de Gn 2-11 (sauf le

8. *SB*, I, p. 131-132.

judaïsme tardif, dans 4 Esdras 7, 118). C'est bien le christianisme qui, en reprenant la tradition yahviste du péché originel, a lancé une vraie déclaration de guerre à toutes les visions
du monde marquées par l'optimisme éthique. Car le dogme
du péché originel ne signifie finalement rien d'autre que
l'impossibilité pour l'homme d'être bon aussi longtemps
qu'il est séparé de Dieu.

On doit en un certain sens donner raison à ce que
Schopenhauer dit de ce dogme : il est celui qui fait le mieux
saisir l'esprit du christianisme ; ou, en tout cas, en déclarant
l'homme malade dès qu'il est loin de Dieu, il permet vraiment de voir en quoi cette religion est vraiment religion de
salut[9]. Repousse-t-on le diagnostic comme trop pessimiste ?
En toute honnêteté, il faut alors refuser tout le christianisme,
y compris son dogme de la Rédemption. Les croyants, en
revanche, devraient pour leur part considérer ce dit « pessimisme » comme une donnée de base allant de soi, et leur
seule question ne devrait porter que sur la manière de le comprendre et de le justifier. En fait, il est clair que les choses ont
depuis longtemps perdu cette belle simplicité.

Depuis longtemps en effet, on a cessé de voir dans ce récit
un diagnostic sur la situation de l'homme, et on ne l'a plus
compris que comme une sorte d'hypothèse historique ; ce qui
a conduit l'Église à toute une série de théorèmes absurdes
visant à répondre aux questions concernant l'existence effective d'un « Adam » quelconque qui aurait vraiment péché aux
débuts de l'humanité, la façon dont on aurait pu avoir
connaissance de cet événement et la manière d'accommoder
cette histoire avec la théorie de l'évolution, le monogénisme
ou le polygénisme. Sans compter, afférent à ces théorèmes,
l'éternel paradoxe d'un Dieu qui punit les générations ultérieures pour le péché d'un seul : problème de la justice divine
qui s'est vraiment transformé en un puzzle des plus compliqués. Mais toutes ces théories ne pouvaient naturellement
apporter plus de lumière que celles émises à propos du caractère historique de leur point de départ. Resta finalement
l'impression que le dogme du péché originel était exactement
ce qu'il fallait pour démoniser l'homme et pour le maintenir
captif de ses angoisses névrotiques culpabilisantes, en particulier de ses troubles sexuels, ceci pour le plus grand profit

9. Arthur SCHOPENHAUER, *Parerga et Paralipomena*, Francfort, 1850,
II, 404.

d'un pouvoir clérical qui le garderait ainsi sous sa dépendance. C'est gênant ! On comprend l'expression de soulagement devant certaines exégèses vétérotestamentaires récentes qui proposent d'interpréter Gn 3, 1-7 et les chapitres suivants comme une simple description de la « faillibilité » de l'homme, autrement dit de sa pure « capacité de pécher »[10].

Pour notre part, nous ne saurions considérer la doctrine yahviste du péché originel uniquement comme un diagnostic[11]. Le problème n'est donc pas celui d'un « Adam » fort éloigné de nous, mais celui de notre propre être. Le péché originel n'est pas un événement situé dans un passé lointain, mais une présentation de ce qu'est et de ce que ne peut qu'être la vie de l'homme tant qu'il n'a pas redécouvert Dieu dans la foi. Le récit yahviste des origines de la faute humaine n'entend pas décrire une donnée de la préhistoire, mais l'essence du péché, tel que celui-ci se manifeste en chacun de nous et dans l'humanité tout entière. On doit le lire de façon à reconnaître que ce qui s'y trouve en jeu, ce n'est pas la vie d'un tiers, mais la nôtre. À moins de n'avoir rien à dire sur personne, c'est au cœur de notre existence qu'il nous faut vérifier ce qu'il a à nous dire : thèse qui est clairement liée à celle de Kierkegaard, le penseur dont les écrits constituent le modèle classique de tous ceux qui veulent redonner valeur à la doctrine du péché originel en la replaçant sur le socle existentiel de la Bible, donc en recourant au matériau de l'expérience psychologique. L'urgence d'une telle tentative ne répond pas seulement à un problème interne du christianisme : il s'agit avant tout de savoir si on peut guérir l'homme de sa déchirure intérieure. Car, Dieu le sait, si l'Église a proclamé le dogme du péché originel, ce n'est pas pour aliéner l'homme en s'aidant d'une idéologie affamée de pouvoir, mais pour l'aider à mieux se comprendre lui-même.

D'une certaine façon, le Bouddha et Socrate n'avaient pas tort : si les hommes découvraient leur vérité, ils perdraient toute raison d'être mauvais ; mais Socrate ne s'en trompait pas moins totalement en pensant qu'ils l'ignoraient et qu'il suffisait donc de la leur enseigner. La difficulté ne réside pas

10. C. WESTERMANN, *Genesis 1-11*, p. 73. Voir *SB*, I. 4-7.
11. *SB*, I, p. XVIII-XXXI.
12. KIERKEGAARD, *Le Concept d'angoisse* (1844) et *La Maladie à la mort* (1849), trad. P.-H. et E.-M Tisseau, *Œuvres complètes*, Éd. de l'Orante, 1971-1973, vol. VI et VXXVI.

dans l'ignorance, mais dans le fait que, connaissant la vérité, les hommes refusent de la voir par angoisse. La question du problème du mal n'est ni d'ordre intellectuel ni d'ordre volontaire. Elle est plutôt de savoir d'où provient cette angoisse et comment y répondre. Si on ne comprend pas la peur et la souffrance qui se cachent dans le mal, on ne saisira jamais ce que cherche l'homme quand il s'inflige tant de souffrances, à soi-même et aux autres. Si on n'aperçoit pas son fond d'angoisse, on ne fait que l'incriminer de façon absurde. Pourtant, bien comprise, la doctrine du péché originel permet aux gens empêtrés dans le mal de devenir plus justes et meilleurs, et cela mieux que n'importe quelle considération morale. C'est tout au moins notre thèse.

Déjà la simple réflexion biblique sur le « péché originel » suffit à faire voir l'importance du facteur d'angoisse, et le souci du Yahviste de faire comprendre comment l'homme se trouve pris dans l'imbroglio du mal. Il suffit de noter comment en Gn 3, 1-7 l'être humain est présenté comme piégé. À peine la femme a-t-elle commencé à réagir contre les suggestions du serpent qu'elle est saisie de panique. Elle ne parvient même plus à répéter le commandement divin, sinon en le grossissant désespérément. Du même coup, Dieu ne lui apparaît plus soudain comme la source de vie, mais seulement comme la source d'une peur mortelle : un simple geste de la main suffirait à justifier ses foudres. Une fois saisi dans le champ de l'angoisse, tout ce qui était destiné à la protéger n'est plus que poids intolérable. Le bien ne saurait plus consister désormais qu'à craindre Dieu et, dans son désir de rester du côté de Dieu et pour échapper à sa peur, il ne lui reste plus d'autre espoir que de se faire semblable à lui : l'homme doit se mettre lui-même « au milieu du jardin » et retrouver ainsi un point d'appui lui permettant, à défaut de Dieu, d'acquérir lui-même un caractère d'absolu. Mais la première caractéristique du serpent, c'est d'être « rusé » (Gn 3, 1), si bien qu'en définitive les humains sont toujours trompés : dupés, ils tombent au pouvoir du mal. En cherchant à se rendre semblable à Dieu, l'homme outrepasse sa mesure ; il est expulsé du centre du monde et de soi-même, expulsé à l'étranger, lancé dans une existence marquée

13. *SB*, III. 149. KIERKEGAARD, *Miettes philosophiques, ibid.*, vol. VII p.1-103.
14. *SB*, I, p. 61.
15. *Ibid.*

par la honte et la souffrance ; et la seule chose qui lui reste en commun avec Dieu, c'est cette malheureuse « connaissance du bien et du mal » ; cette découverte que les choses, et lui-même, ne sont bons que dans l'unité avec Dieu ; qu'en revanche tout devient malédiction s'il lui faut vivre en créature séparée de son créateur. C'est là la seule « connaissance » que Dieu aurait voulu lui épargner à tout prix.

Selon le récit yahviste de Gn 3, 1-7, il est donc clair que ce qui rend l'homme mauvais, c'est le désespoir infini qui vient entacher la bonne volonté d'un être anxieux de perdre Dieu, désespoir qui le pousse finalement à « être comme Dieu » à seule fin d'échapper à son angoisse.

LA PSYCHANALYSE A RAISON DE VOIR DANS LE MAL UNE ENFLURE DU MOI

Pour comprendre l'état d'impuissance dans lequel se trouve l'homme tel que le décrit le Yahviste, il est indispensable de renoncer une fois pour toutes à réduire le psychisme à l'intelligence et à la volonté. Le théologien, qu'il soit exégète ou dogmaticien, doit accepter de se mettre patiemment à l'école de la psychanalyse en admettant sa théorie de l'inconscient. Car Freud, lui, s'est montré capable d'accepter l'homme tel qu'il est, indépendamment de toutes les grandes exigences de l'éthique ou même de la religion : il a reconnu en lui un être malade de peur, en cela semblable au lapin qui fuit à travers champs des rabatteurs dont il ne sait qui ils sont. On peut discuter le détail de ses théories. Mais comment ne pas s'inspirer de la compassion qu'il a montrée envers ses patients, jointe à son souci de parvenir à une vue purement scientifique des choses en évitant tout préjugé ? Le fondateur de la psychanalyse a très bien perçu la terrible violence du désir humain d'amour et de sécurité, et l'angoisse dans laquelle l'homme sombre quand on lui ôte son appui, ou, comme il le disait sobrement, son « objet libidinal ». Il ne voyait même dans la volonté de faire le bien qu'un simple jeu du désir d'être aimé et accueilli ; il savait que, frustré de sa sécurité, l'homme est désespérément prêt à tout pour paraître

16. *SB*, I, p. 48-53.

aussi acceptable que possible, alors qu'en vérité son angoisse même l'empêche d'être bon. Car cette peur conduit à l'enflure généralisée ; elle pousse l'homme à mettre la barre toujours plus haut, à se présenter comme d'autant plus riche et plus puissant qu'il est en fait plus insécurisé. Le sentiment de ne rien valoir, d'être inférieur, le pousse à des formes toujours plus dramatiques de compensation, à la façon de la grenouille qui veut se faire aussi grosse que le bœuf et se gonfle à en crever[17]. Il est étonnant de voir combien l'étymologie du mot allemand *böse* (méchant) reflète cet état de choses. Il est proche du mot anglais *boast*, qui signifie « se vanter », « se gonfler ». Il prolonge la racine indo-germanique qu'est l'onomatopée *bhou* (enfler) parente de *Bauch* (ventre), *Bausch* (enflure), *Busen* (sein)[18]. Mais, en arrière-plan de cette façon de se donner des grands airs, il faut toujours apercevoir l'angoisse. L'orgueil est une réaction contre le sentiment d'infériorité et d'impuissance que l'on éprouve à ne pas se sentir assez aimé. C'est l'angoisse seule qui pousse l'homme à perdre toute mesure et à vouloir être plus qu'il n'est : par crainte de n'être qu'un animal, il veut faire l'ange ; par crainte de n'être rien, il veut être Dieu. Ce n'est pas d'être homme qui provoque cette peur ; c'est ce nœud fait de crainte de perte de l'objet, de sentiment d'infériorité et de recherche désespérée de compensation. Telles sont les composantes de la névrose dont la psychanalyse nous invite à tenir compte si nous souhaitons tirer un peu plus au clair, non seulement le récit yahviste des origines, mais le problème théologique du mal et du péché originel.

On peut penser qu'une anthropologie chrétienne ne devrait pas montrer moins de compréhension de l'homme que la psychanalyse. Or, en continuant à ignorer celle-ci, il faudrait même dire à la désavouer, la théologie se condamne manifestement à réduire la vision chrétienne de la faute et de la conversion, de la chute et de la rédemption, à une doctrine coupée de toute expérience et totalement plaquée de l'extérieur. Elle n'aide pas l'homme à se comprendre et à se retrouver. Tout au contraire, elle ne fait qu'accentuer son sentiment

---

17. ÉSOPE, Fable n° 24 reprise par La Fontaine. Sur la relation entre la névrose et la compensation, voir *SB*, II, p. 575.

18. Friedrich. KLUGE, *Etymologisches Wörterbuch der deutschen Sprache*, p. 93.

d'humiliation et d'aliénation. Si les théologiens ne s'étaient pas complètement coupés de l'arrière-plan affectif lié à l'expérience vécue, s'ils ne s'étaient pas contentés de penser leur doctrine en fonction d'un homme réduit à une pure raison et à une pure volonté morale, ils auraient certainement pu faire l'économie des débats séculaires sur « la foi et les œuvres », ou sur la « justification » de l'homme ; exemples parmi tant d'autres d'une leçon que la théologie aurait à tirer de la psychanalyse.

L'APPORT DE LA THÉOLOGIE À LA RÉFLEXION SUR L'ANGOISSE

Inversement, il faut aussi reconnaître qu'en rejetant si souvent le religieux, la psychanalyse court elle aussi le risque de ne pas répondre vraiment aux besoins de l'homme : dans certains cas, au lieu de l'épanouir, elle le rabaisse.

C'est maintenant ce que nous voudrions montrer par quelques exemples.

Dans la perspective psychanalytique, tout le mal de la psyché humaine vient de l'angoisse : point de vue parfaitement valable. Mais l'idée que cette science se fait de cette angoisse peut facilement en rester à celle de ses formes empiriques : partant de la notion d'« angoisse réelle » due à la « perte de l'objet », on n'envisage plus que ces formes intériorisées que sont l'« angoisse compulsionnelle » et la « peur du surmoi ». La conséquence de cette façon de voir est facile à deviner : c'est l'urgence de soustraire l'enfant à tout ce qui pourrait l'effrayer. Sans doute la psychanalyse a-t-elle bien montré qu'on ne saurait progresser vers la maturité sans avoir eu à affronter l'obstacle. Mais cela n'empêche pas moins les gens de se réclamer continuellement d'elle pour chercher à réduire ou même à éliminer totalement tous les dangers qui peuvent menacer la vie publique comme la vie privée. En prétendant fonder cette exigence sur les acquis de la psychanalyse, on sombre dans un simplisme à courte vue plus destructeur que promoteur. Ceci parce qu'on a commencé par minimiser le vrai problème de l'angoisse.

19. *SB*, III, p. 153-155.
20. *SB*, p. 141-142.

Il faut ici aller beaucoup plus loin que la psychanalyse ou que les sciences du comportement, car l'angoisse n'est pas quelque chose qui surviendrait à l'homme de l'extérieur : elle lui est essentielle. Elle n'est rien d'autre que le reflet subjectif du fait d'être conscient et libre. Pour parler comme le Yahviste, il faudrait dire que toute prise de conscience implique une intervention de ce « serpent » qui, dans les mythes, incarne le néant, l'abîme présent au cœur de tout ce qui est créé. Il suffit de considérer le monde animal pour y trouver déjà tous les modèles de nos propres angoisses : il nous présente en ébauche toute la galerie de nos peurs. Mais à ces peurs, la nature propose des réponses biologiques. L'homme toutefois est le seul être qui peut et même qui doit percevoir que la pauvreté, la solitude, la maladie, l'exclusion et la mort sont tout autres choses que de simples données contingentes et momentanées : elles constituent des menaces immanentes à sa propre nature, et elles sont donc inévitables. Dès qu'il prend conscience de soi, donc aussitôt qu'il devient homme au sens plein du terme, il se heurte violemment au fait de sa contingence, de sa non-nécessité, de son caractère superflu. Il découvre intérieurement que sa vie n'a pas par avance un sens inébranlable, et c'est ce qui l'inquiète profondément : sa liberté implique la possibilité de son échec total. Et les deux choses réunies, cette peur devant la contingence de son existence et celle devant sa liberté, celle de son néant et celle du non-sens, se conditionnent l'une l'autre. La certitude de devoir mourir ne serait pas si effrayante ni si bouleversante si, face à la menace de la mort, il n'y avait pas toujours la possibilité de ne relire son existence que comme irrévocablement vide et ratée. Ce n'est pas la mort en soi qui est effrayante ; c'est le fait qu'elle vienne apposer son sceau sur une vie qu'on n'a pas (encore) vraiment vécue. Mais c'est justement l'angoisse ressentie devant cette perspective qui, plus que tout autre chose, fait perdre à l'homme sa mesure et enclenche en lui le mécanisme de la névrose.

La portée essentielle de la doctrine du péché originel, c'est donc d'apprendre à l'homme (avec tout ce que la

21. A. J. Westermann-Holstijn, « Verschiedene Definitionen und Auffassungen der "Angst" », dans *Fortschritte der Psychoanalyse*, II, p. 176.

22. *SB*, I, p. lxxiv-lxxvi ; III, p. 236-237.

23. *SB*, II, p. 221-235.

psychanalyse a pu lui révéler sur lui) à se comprendre comme un être qui peut être malade d'angoisse s'il n'arrive pas à poser l'acte de confiance qui lui permettrait de surmonter celle-ci. Si on prétend l'en délivrer en s'appuyant sur une théorie qui la réduit à quelque chose de purement extérieur, on le prive en fait de son trésor le plus précieux : de sa conscience et de sa liberté. Un homme sans angoisse ne serait plus un homme. C'est ici que la psychanalyse doit reconnaître son immense besoin de la théologie.

Épistémologiquement parlant, il faudrait donc reconnaître dans la théorie psychanalytique des névroses une façon d'interpréter la doctrine chrétienne du péché originel. D'où la nécessité d'y recourir pour comprendre comment leurs différentes formes s'enracinent dans une angoisse intrinsèquement liée à une existence coupée de Dieu. Ainsi seulement pourra-t-on reconnaître combien Freud avait raison quand il parlait de l'homme comme d'un animal malade. Coupée de Dieu, centrée sur elle-même, la conscience est livrée à une angoisse pathologique. La seule vraie question est alors de savoir si on veut l'en délivrer pour la faire enfin advenir à l'humanité.

Devant un tel état des choses, il ne serait pas pour autant pertinent de dire « nécessaire » la croyance en Dieu, quelle que soit la manière dont on conçoit cette idée. Certes, on peut dire – et la théorie du péché originel l'affirme – que l'homme privé de Dieu doit tomber dans le malheur. Cependant celui-ci ne va pas tellement de soi, et on peut en arriver à considérer le malheur d'une vie coupée de Dieu comme si normal et si naturel que des philosophes comme Hegel ou Jean-Paul Sartre finissent par ne penser d'existence vraiment humaine que là où l'homme se substitue à Dieu (ce que nous aurons à montrer). Il faut déjà avoir subi la pression de la souffrance et acquis la conscience du « désespoir » latent, comme le disait Kierkegaard, et surtout accepter de renoncer à la vaine tentative de se sauver tout seul de l'angoisse, autrement dit il faut déjà avoir la foi, pour reconnaître une faute et une forme de déshumanisation dans cette fuite, apparemment si naturelle, que constitue la volonté de se faire semblable à Dieu.

24. *SB*, III, p. 469-479.
25. *SB*, III, p. 171-234.
26. *SB*, III, p. 467.

LES THÉORIES SIMPLISTES DU MAL :
ABSENCE DE SCRUPULE, BÊTISE ET PARESSE

On pourra aussi objecter que nous avons dramatiquement exagéré le problème du mal. Dire de la religion qu'elle doit guérir l'homme de la maladie qu'est son existence, que le mal est structurellement lié à une vie marquée par l'angoisse, n'est-ce pas sombrer dans l'idéologie théologique, dans le dogmatisme ? Les choses ne sont-elles pas beaucoup plus simples ? Absolument pas !

Bien sûr, on citera le criminel aux nerfs d'acier qui n'a jamais connu la peur, celui qui, à plus forte raison, ne se laisse jamais conduire par l'angoisse. En 1967, quand il créa le célèbre personnage de « l'ange de glace », Jean-Pierre Melville, cet auteur perpétuellement obsédé par le thème du méchant, du « Moby Dick », n'avait certainement pas l'intention de présenter comme purement apparente l'impassibilité de son criminel : son bandit a toutes les caractéristiques du tueur à gages impassible, calculant ses coups sans la moindre émotion et sans le moindre scrupule de conscience. Mais il n'est guère de film qui souligne autant l'angoisse constante du héros, Jeff Costello (joué par Alain Delon). Quelle tension dans la scène où, ses poursuivants sur les talons, il essaye une série de clefs sur la voiture volée qui lui permettrait de fuir ; ou lorsqu'il rentre dans son appartement vide et doit constater, aux battements d'ailes et au pépiement de l'oiseau dans sa cage (ce vieux symbole de l'âme humaine saisie de panique), qu'on a entre-temps fait irruption dans sa cachette. Le film commençait par une image d'oiseau prisonnier et par une citation du Bushido japonais, le livre du guerrier : « il n'y a pas de plus grande solitude que celle du samouraï, pas même celle du tigre dans la jungle ». Dans la vie solitaire de Costello, pas un mouvement d'amour, pas un élan de confiance, seulement la lutte ; et ce qui apparaît comme totalement dénué d'angoisse n'est en fait qu'acclimatation à la menace constante, à une peur omniprésente.

Dans le fameux roman de Graham Greene, *Le Rocher de Brighton*, Pinkie, un garçon de dix-sept ans qui dirige un gang de bandits, est l'exemple parfait du personnage au sang-froid

27. *SB*, III, p. 550-553.

total, apparemment dépourvu de toute crainte et de tout scrupule. Il doit lutter contre la suprématie d'une autre bande. Pour survivre, il exploite sans pitié l'amour d'une fille jusqu'à ce qu'enfin, par « dégoût du monde », et poussé par la logique interne du crime, il ne voie plus d'autre solution que de tuer et de se suicider. L'enfer de la solitude, de la haine et de la jalousie, tel que l'a dépeint l'auteur, ne repose finalement que sur la peur. Il ne fait que prolonger la terreur panique d'un enfant que l'on a persécuté et chassé, et qui a constamment dû se glisser dans la peau faussement rassurante d'un criminel impitoyable. Sa liberté ne consiste plus dès lors qu'à détruire tout sentiment humain. Étant donné l'impossibilité de vivre constamment dans la peur, tout cela se termine par le comble de la monstruosité, par le geste d'un criminel qui n'a que l'apparence de l'assurance tranquille[28].

En surface, il n'est sûrement pas toujours facile de s'apercevoir que la racine profonde du mal, c'est l'angoisse. Il faut bien souvent faire appel à la psychanalyse, ou disposer d'une extraordinaire capacité de sympathie, pour déceler cet élément capital sous les déformations ou les excroissances maladives de la psyché, ou, dans le cas que nous venons de décrire, sous le crime. Mais celui qui regarde les choses de plus près ne peut manquer de le reconnaître, certes devant tel ou tel manquement purement occasionnel à un commandement donné, mais surtout devant ce mal à travers lequel une personne exprime le plus profondément sa personnalité. Chez celui dont on finit par penser qu'il est totalement mauvais, les chemins biaisés qui conduisent de l'angoisse originelle à l'acte final sont souvent très détournés. On n'en finit pas moins par toujours reconnaître qu'ils partent bien de la peur. L'angoisse ! C'est elle qui écrase l'homme, qui broie sa vie. C'est elle qui se profile aussi derrière tous ces projets si exigeants qu'on en est finalement écrasé.

Certaines personnes ne l'en considèrent pas moins comme excellente maîtresse de moralité. Ne détourne-t-elle pas du mal ? Mais, prise en elle-même, elle ne saurait fournir de motivation morale. Quand elle prend possession de l'homme, elle ne le fait pas que de l'extérieur ; elle le fait aussi de l'intérieur, et elle réduit alors le « bien » apparent à n'être plus que

28. Graham GREENE, *Le Rocher de Brighton*, Laffont, 1975.
29. Alfred ADLER, *Connaissance de l'homme. Étude de caractérologie individuelle*, trad. J. Marty, Payot, 1949, coll. « PBP », p. 69.

le masque d'un caractère incertain et pusillanime, totalement dépourvu de spontanéité comme de passion. Elle accable sa victime sous le poids de complexes et de refoulements qui débouchent à coup sûr sur le mal. Du fait de la constante menace que fait peser en arrière-plan la figure de l'ombre, celui qui fait soi-disant le bien finit toujours par éprouver un violent besoin de compensation. Le « suiveur », le « frère ennemi » n'attend que ce moment pour bondir et s'imposer. Celui qui ne perçoit les choses que de l'extérieur peut ne voir dans certains comportements, à ses yeux aberrants et irresponsables, qu'une preuve d'anarchisme, là où il s'agit en réalité d'une réaction asociale venant compenser un surmoi trop exigeant : le besoin grandissant de souffler fait soudain sauter les digues et la passion déborde de tous les côtés. Il ne s'agit donc de rien d'autre que d'un pur accès d'angoisse, d'une fuite dans un monde souterrain, à la façon de certains chevaux qui, dans leur effroi devant une grange en flammes, s'emballent et se précipitent dans le feu. Telle faute qu'on dit « éhontée » n'est en réalité que l'expression de la peur. Encore faut-il pour s'en apercevoir cesser de juger les actes à l'aune d'une morale aux normes bien définies, et découvrir que c'est toute l'existence qui pousse à tout rater, autrement dit à se rendre soi-même malade.

Il est encore plus facile de répondre aux objections selon lesquelles le mal ne serait qu'une forme de paresse, donc un manque de volonté morale ou une vue déficiente du nouvel état de choses. On ne saurait certes nier les graves conséquences de certaines habitudes acquises : que de gens continuent à se conformer à des modèles périmés de comportement, alors que le monde a changé ! C'est ainsi que la tendance à résoudre les conflits par la force, le désir de trouver un sens à sa vie en élevant le plus d'enfants possible ou l'idée que les réserves d'eau, d'oxygène, de bois, de matériaux ou d'animaux seraient quasi illimitées, conduisent aujourd'hui notre civilisation au bord de l'abîme, du fait du déchaînement sans frein des trois instincts fondamentaux de l'homme (pouvoir, sexualité, consommation). Mais on ne

30. L. Szondi, *Lehrbuch der experimentellen Triebdiagnostik*, I, p. 87-89.

31. *SB*, III, p. 278-299.

32. F. Vester, *Das Überlebensprogramm*, p. 213 ; E. Drewermann, *Der tödliche Fortschritt*, p. 9-45.

saurait dire que c'est l'effet de la seule paresse et de l'igno-rance. C'est bien plutôt l'angoisse qui conduit à méconnaître l'information déjà disponible depuis longtemps, ou à ne s'adapter que trop tardivement au donné nouveau. Toute transformation crée de l'insécurité, et on n'en veut donc rien savoir tant que le passé peut se prolonger. Renoncer aux armes, c'est se trouver sans protection, et on en a peur ; ces-ser d'exploiter la nature, c'est s'appauvrir, et on en a peur ; ne chercher qu'en soi le sens de sa vie, c'est être seul, et on en a peur. De même, ce qui est vraiment dangereux au plan per-sonnel, ce ne sont pas les incapacités innées, mais bien les exigences exagérées qu'on leur oppose et les réactions que cela provoque, y compris la fuite sous le masque de l'étroi-tesse d'esprit. La première question à poser, c'est de savoir comment considérer l'homme : doit-on vraiment penser qu'il est a priori bête et paresseux, et que ce serait cela qui le ren-drait essentiellement méchant ? Alors il faudrait recourir à la force et traiter les gens comme un maître d'école qui ne sait pas comment venir à bout de ses élèves ; au fond il les méprise au nom de sa vérité. Ou ne doit-on pas penser plutôt que l'homme voudrait le bien et qu'il aspirerait à la vérité si seulement la peur le laissait en repos ? Dans ce cas, il n'y aurait plus aucune raison de le dénigrer. Il faudrait au contraire acquiescer à la parole du Sermon sur la montagne disant qu'il n'y a finalement pas de sens à s'opposer par la violence au méchant (Mt 5, 39). On pourrait alors com-prendre la signification et le but de la religion quand elle déclare que seule la foi qui vainc la peur est capable de guérir à la racine un homme malade de sa méchanceté.

LA GRÂCE OU LE MÉPRIS ?

Chaque diagnostic a ses conséquences. L'optimisme appa-rent de la vision éthique du mal se retourne en réalité en mépris de l'homme et en hostilité envers lui. Le diagnostic religieux, avec sa doctrine du « péché originel » telle que nous la présentons à partir du récit de la chute du Yahviste et des points de vue tant de la psychanalyse que de la philoso-phie de l'existence, peut sembler pessimiste : ne décrit-il pas la contrainte qu'exerce l'angoisse sur un homme qui, par sa faute, s'est éloigné de Dieu ? Il parle, non de la force, mais de la faiblesse de l'homme. En fin de compte, il n'en fonde pas moins une théologie d'une plus grande bienveillance, plus compatissante et plus respectueuse de l'homme.

Charles Baudelaire le savait bien lorsque, dans le passage que nous citions, il parle de l'homme comme d'un « monstre innocent », et supplie Dieu de lui accorder la seule chose encore possible : sa pitié. « Seigneur mon Dieu, écrit-il, vous, le créateur, vous, le maître ; vous qui avez fait la Loi et la Liberté ; vous, le souverain qui laissez faire, vous, le juge qui pardonnez ; vous qui êtes plein de motifs et de causes, et qui avez peut-être mis dans mon esprit le goût de l'horreur pour convertir mon cœur, comme la guérison au bout d'une lame ; Seigneur, ayez pitié des fous et des folles ! Ô créateur ! » Et il ajoute : « Peut-il exister des monstres aux yeux de celui-là seul qui sait pourquoi ils existent, comment ils se sont faits et comment ils auraient pu se faire[33] ? » Il n'existe pas de doctrine qui montre autant l'homme dans son tort que le dogme chrétien du péché originel. Mais il n'existe pas non plus de doctrine qui montre davantage son besoin de grâce. Cet enseignement n'est possible et supportable que si l'on a confiance en un Dieu qui justifie et accepte l'existence de l'homme. C'est seulement sur l'arrière-fond d'un pardon qu'existe le mal que l'homme commet et doit commettre, cette innocence coupable de chacun, et non pas de la société. Mais le paradis, originel ou final, n'est ni en un lieu ni à un moment du temps. Il n'est qu'une façon de voir les choses telles qu'elles sont, sans angoisse, et il se trouve en chacun.

Le seul chemin qui y conduit, c'est « la terrible force de l'humilité[34]. »

---

33. BAUDELAIRE, « Le Spleen de Paris », dans Œuvres complètes, Gallimard, « Bibl. de la Pléiade », 1961, t. I, p. 303.
34. F. M. DOSTOÏEVSKI, L'Idiot, Livre de poche, 943, II, p. 124.

3

Péché et névrose

Essai de synthèse de la psychanalyse et de la théologie

LE PÉCHÉ, MALADIE À LA MORT, CONSISTE À DÉSESPÉRER DE DIEU

La définition la plus connue et la plus profonde du péché est celle de saint Thomas d'Aquin : le péché consiste à se détourner de Dieu et à se tourner vers le créé[1]. Mais comment l'homme peut-il se détourner de ce qui est à la source de son être ? Qu'est-ce que cela peut signifier pour lui de ne plus vouloir vivre désormais que pour le créé ? À cette question, on ne peut dire qu'on ait trouvé de réponse claire, sinon dans le traité de ce qu'on appelle le péché originel. Ce que l'on déclare péché mortel entraînerait la perte de la grâce justifiante (Denziger, 1544) et l'exclusion du Royaume de Dieu (Denziger, 835). Mais, une fois qu'on a proclamé cette doctrine comme quelque chose de purement extérieur, comment savoir que l'on a perdu la justification divine, et ce que peut signifier le fait d'être *exclu* ?

Il y a un certain risque à ne comprendre le péché, la chute, et même l'inimitié envers Dieu, que comme quelque chose de

---

1. THOMAS D'AQUIN, *Summa theologica*, I q 94 a 1c.

purement moral (Denziger, 1680), comme si l'opposé du péché, c'était la vertu, autrement dit un comportement moral correct. Dans la *Théologie morale catholique* de Mausbach, on lit que le péché n'implique pas l'idée d'un Dieu personnel, mais seulement celle du bien en général, celle d'une loi éternelle[2]. Il est alors presque inévitable de réduire la foi (rapport à Dieu) à une morale, ce que Kant faisait déjà de la religion en général, quand il la ramenait essentiellement au monde de l'éthique : ce qui conduisit à penser le péché de façon de plus en plus casuistique. Il est donc nécessaire de réagir et de chercher à décrire le péché, acte par lequel on se détourne de Dieu, de façon plus personnelle et plus concrète, en montrant comment, à l'origine de toutes les défaillances morales, il y a un homme qui a perdu sa véritable nature en succombant à une fausse compréhension de Dieu.

Pour ce faire, nous ferons appel aux idées de Sören Kierkegaard dans son ouvrage : *La Maladie à la mort*[3]. Il y présente la perte de la grâce et la justification divine sous les traits du désespoir ; ou, inversement, il préfère dire que le désespoir est une faute devant Dieu. Vision des choses qui reste encore aujourd'hui du plus grand intérêt, car cette présentation du désespoir anticipe par l'autre bout ce que la psychanalyse nous fait découvrir dans la névrose. Elle nous donne donc la possibilité de construire un modèle permettant de conjuguer théologie et psychanalyse, et de recourir à l'analyse des névroses pour mieux comprendre la doctrine théologique du péché originel. L'intérêt de cette réflexion n'est pas seulement théorique, mais aussi pratique.

Voici déjà cent trente ans, soixante-dix ans avant Freud, trente ans avant Dostoïevski, que Kierkegaard, lui-même au bord du désespoir, écrivait en quelques semaines ce traité sur le désespoir de l'âme, le plus percutant qui soit jamais paru. Il portait pour titre : *La Maladie à la mort*. En effet, c'est bien là ce qui fait le désespoir : ne plus supporter la vie que comme un malheur et préférer la mort sans pouvoir la trouver,

---

2. J. MAUSBACH, *Katholische Moraltheologie*, 3 vol., Münster, 1927, t. I. *Die allgemeine Moral*, p. 234.

3. S. KIERKEGAARD, *La Maladie à la mort, Un exposé psychologique chrétien pour l'édification et le réveil*, par Anti-Climacus (1849) dans *Oeuvres complètes*, trad. P.-H. revu par E.-M. Tisseau, Éd. de l'Orante, 1971, t. XVI, p. 163-285.

« n'être plus qu'un mort vivant et en être étouffé », comme le disait ce visionnaire de Dracula qu'était Bram Stocker[4], « devenir muet de ne pouvoir pleurer », comme le disait le célèbre auteur de romans d'horreur, Patricia Highsmith[5]. Si cette mort vivante et cette incapacité de pleurer sont faites de désespoir, d'où celui-ci tire-t-il sa force, et de quelle nature est-il ? C'est ce qu'il faut d'abord chercher à comprendre.

LE DÉSESPOIR COMME RELATION FAUSSÉE À SOI-MÊME

Lorsque Philippe de Macédoine vint mettre le siège devant Corinthe, les habitants de la cité se soulevèrent, chacun cherchant à trouver le meilleur moyen d'échapper à la catastrophe menaçante : l'un fourbissait ses armes, l'autre ramassait des pierres, le troisième réparait les murs. Tous se sentaient désespérés à l'idée que la ville serait bientôt détruite et que tout ce qu'on avait construit serait détruit. Diogène de Sinope l'entendit raconter : « [Il] s'enveloppa bien vite de son manteau et se mit à aller et venir dans les rues en poussant son tonneau. Comme on lui demandait pourquoi il faisait cela : c'est, dit-il, afin de ne pas être le seul oisif parmi tant d'affairés.[6] » On ne saurait dire précisément ce que Diogène voulait dire par cette image fort ambiguë. Mais son geste correspondait parfaitement en tout cas à la visée des jeunes cyniques, telle que la décrit Vorländer[7] : remettre fondamentalement en question tant l'espoir que le désespoir des Corinthiens et les forcer à réfléchir sur les raisons de celui-ci.

Quelqu'un a vu brûler sa maison. Il en est désespéré. Mais le problème est de savoir si cet incendie est la cause, ou seulement l'occasion, de son désespoir.

Si quelqu'un perd tout ce qu'il a, ou si on lui vole ce en quoi il a mis tout son cœur, s'il ne lui reste plus rien, il désespère. Mais qu'était-il, avant l'incendie de sa maison ? « J'étais heureux », déclarera-t-il. « Donc ton bonheur, c'était

---

4. B. Stocker *Dracula*, New York, 1897.

5. P. Highsmith, « The Terrapim », dans *Eleven Stories*.

6. S. Kierkegaard, *Miettes philosophiques, ou un peu de philosophie*, par *Johannes Climacus* ; dans *Oeuvres complètes*, t.VII, p. 4.

7. K. Vorländer, *Geschichte der Philosophie*, 5 vol. t. I. Philosophie des Altertums. Hambourg, 1963, p. 73.

ta maison ? – Oui, sûrement », dira-t-il. « Et maintenant que
ta maison est détruite, c'est toute ta vie qui te paraît fichue ?
– Exactement. » Et tout ce qu'il dira vient confirmer notre
première constatation : cet homme, cette femme n'existaient
que dans leur maison. Leur vie ne prenait de signification que
par cette maison. Leur maison était le seul absolu de leur vie.
Car il n'y a apparemment rien qui puisse maintenant les
consoler.

On peut naturellement substituer n'importe quoi à la maison, simple exemple d'objet extérieur auquel on suspend sa
vie. L'un cherche refuge dans sa profession et dans le rende-
ment, un autre dans l'argent, un troisième dans son bon plaisir ou dans la vénération d'une personne donnée, un autre
encore dans l'approbation de ses proches ou de ses camarades
de parti : qu'importe ! Que l'un de ces biens prenne pour
quelqu'un une signification absolue, et cela suffit pour que sa
perte le désespère.

Le dernier mot va souvent à la résignation. À moins que la
souffrance consécutive au désespoir ne provoque un changement de mentalité, un approfondissement, une intériorisation
de la vision que l'on avait jusque-là de l'existence : on s'aperçoit soudain que, pour se trouver ainsi abattu et découragé, il
devait déjà y avoir auparavant quelque chose qui n'allait pas.

Il lui faut alors se demander pourquoi on en était arrivé à
penser que seule cette inclination pour une femme, ou pour
un groupe précis, ou cette forme de reconnaissance, permettait de vivre. C'était manifestement parce qu'on ne s'était pas
découvert soi-même, parce qu'on n'avait pas vraiment vécu,
mais qu'on n'existait qu'à l'extérieur ; on n'était soi-même
qu'extérieur. Que penser alors du supposé bonheur d'avant ?
Le désespoir peut agir de façon si étrange qu'on en arrive à
tenir pour une maladie ce qui était jusque-là bonheur ; il fait
découvrir qu'au fond on était déjà constamment désespéré.
Exactement comme une psychothérapie fait découvrir que,
derrière la crise névrotique actuelle, le patient était déjà
constitué de façon prémorbide. À la fin, la personne concer-
née en arrivera à considérer son malheur comme une chance
qui lui a permis de se débarrasser de son désespoir latent.

Peut-être était-ce ce que Diogène entendait faire comprendre aux Corinthiens : « La perspective de voir l'armée
macédonienne vous arracher vos biens vous paraît une raison
de désespérer. Mais votre agitation et votre hâte sont mal

orientées. Ce moment où vous perdez tout espoir serait justement celui où vous devriez remarquer que vos maisons et vos
palais ne sont pas le tout de votre vie, que vous êtes plus que
le manger et le boire. Vous vous désespérez devant le danger
qui menace votre avoir, mais le véritable danger, c'est que
vous ne vous apercevez même pas qu'en vérité vous êtes déjà
totalement désespérés dès lors que vous dites : ma maison,
mon chien, ma femme, mon enfant sont toute ma vie », pour
parler comme Rilke dans son *Livre des heures*[8].

En obligeant à voir que l'on était déjà désespéré, le désespoir peut présenter l'avantage de faire réfléchir à la véritable
nature de la vie. Si on l'admet, on est prêt à comprendre la
thèse capitale de Kierkegaard : le désespoir ne porte jamais
sur un objet extérieur, donc sur une chose que la personne
désespérée ne serait pas ; il porte toujours sur soi. Autrement
dit, le désespoir est fondamentalement une *mauvaise relation
à soi-même*.

On ne peut accepter cette idée si on n'admet pas qu'il est du
devoir de l'homme de devenir soi-même. Si on ne reconnaît
pas que c'est là le but essentiel de la vie, on restera un éternel
épicurien[9] éternellement condamné à vivre entre le désir et la
satiété, la possession et la perte, l'avoir et le non-avoir. Alors,
on ne se pose jamais la question de savoir qui on est vraiment
et, immanquablement, on voit sa vie s'effondrer avec le décès
d'une épouse atteinte d'un cancer, l'occupation de son palais
par les Russes en 1945, un divorce ou le blocage de sa carrière.
Mais c'est finalement de soi qu'il dépend d'accepter la thèse de
Kierkegaard, au moins sur un plan intellectuel : celui qui désespère de quelque chose d'extérieur fait voir qu'il était déjà désespéré. Le désespoir est toujours une mauvaise relation à soi.

Dans les entretiens pastoraux, il faut parfois des mois et
même des années pour faire faire ce pas, à supposer même

8. R.M. RILKE, *Das Stundenbuch* : « Nous disons *le mien*, et nom-
mons l'avoir, alors que toute chose se ferme à qui la prend, comme au
pitre absurde qui déclare siens le soleil et l'éclair. Nous disons : ma vie,
ma femme, mon chien, mon enfant, et nous savons pourtant bien que
tout, vie, femme, chien et enfant, ne sont que des images étrangères auxquelles, aveugles, nous nous heurtons en tendant la main. » *Sämtliche
Werke*, t. I, Rilke Archiv, Francfort, 1955, p. 338.
9. Épicurien au sens de l'« individu esthétique » de Kierkegaard.
C'est avec le début de la première apologétique chrétienne qu'on a
commencé à interpréter cette philosophie comme pur hédonisme. On
trouve d'ailleurs aussi ce contresens chez Cicéron.

qu'on y arrive. Et nous ne saurions nous-même être certain de
ce que serait notre propre comportement s'il nous arrivait
quelque chose de grave. Et nous aurions déjà beaucoup gagné
si nous pouvions admettre, au moins en théorie, que le désespoir est quelque chose qui habite intérieurement l'homme, et
qu'il n'est jamais le pur effet d'un coup du sort extérieur. Car
ce n'est qu'ainsi qu'il devient possible de se mettre à chercher
et à envisager un chemin de salut, chemin qui ne peut partir
que du cœur de l'homme et qui seul peut conduire à se poser
de façon juste et nécessaire la question de Dieu.

L'ANGOISSE, POINT DE DÉPART DU DÉSESPOIR

Le désespoir est une mauvaise relation à soi : posons ceci
comme un axiome. Mais la question ne fait que rebondir :
d'où vient donc ce désespoir ? Ou, pour être plus précis, d'où
vient cette mauvaise relation à soi et sous quelle forme se
manifeste-t-elle ? Sur ce point, il faut une certaine faculté
d'abstraction pour comprendre la thèse suivante de
Kierkegaard.

Kierkegaard pense que l'homme ne peut devenir lui-même
que s'il est en état de s'accepter dans sa situation d'être spirituel créé[10]. Ce qui fait de nous des êtres humains, c'est le fait
d'avoir un esprit. Mais nous ne sommes pas Dieu. Notre
esprit est lié aux sens, au corps, à la finitude. L'homme est
donc un être contradictoire qui doit opérer une synthèse entre
des extrêmes. Pour devenir lui-même, il a le devoir de conjuguer en lui le fini et l'infini. C'est en cela que consiste sa
liberté. S'il n'y avait en lui que finitude, il n'existerait qu'à la
manière d'une pierre, d'une fleur ou d'un oiseau, totalement
identique à soi et déterminé en soi, et il serait incapable de
réfléchir sur soi. S'il était infini, il serait de part en part
liberté, comme Dieu lui-même, et cette liberté n'appartien-
drait qu'à lui. Mais la liberté de l'homme consiste en ce que,
être infini, il doit s'insérer dans le fini ; en ce que, esprit
capable de réfléchir, il doit, en vertu de son caractère infini,
s'engager dans les limites qui sont celles de sa vie, et donc se
poser comme responsable.

De cette première antinomie en découle une seconde : celle
de la *nécessité et de la possibilité.* La liberté humaine

10. Sur ce qui suit, voir *SB*, III. p. 460-479.

n'existerait pas si l'homme était entièrement soumis à la nécessité. Elle ne serait que rêverie gratuite si elle en restait à la pure possibilité. L'homme a pour tâche d'opérer la synthèse de l'une et de l'autre en se refusant tant à sacrifier sa liberté à la nécessité qu'à la perdre au jeu de la possibilité : il doit lui donner le cachet de la *réalité*.

La liberté du soi se trouve donc placée entre deux extrêmes :

Finitude-temporalité

|

Liberté

Nécessité ———————— Réalité ———————— Possibilité

Instant

|

Infini-Éternité

Dans la mesure où il unifie en lui-même ces deux extrêmes, l'homme s'ajuste à sa propre réalité et se réalise lui-même. C'est ce qui explique aussi comment sa relation à soi peut devenir désespérée. Il y a en lui une force qui l'empêche d'être lui-même et d'opérer la synthèse de son être, et c'est là que réside le mystère et le danger de la liberté. Cette force s'appelle l'angoisse.

On est habitué à l'idée que la liberté est vraiment la caractéristique et le bien le plus précieux de l'homme, et c'est vrai. Mais on méconnaît facilement que c'est en même temps sa charge la plus lourde, et qu'il a besoin d'une force extraordinaire pour l'assumer. Il ne saurait connaître de peur plus intérieure et plus profonde que cette angoisse de la liberté devant elle-même, de telle sorte qu'il est terriblement tenté de renoncer à sa personnalité pour se fondre dans la masse. Le Grand Inquisiteur de Dostoïevski[11] a d'une certaine façon raison quand il considère la liberté comme un don trop considérable, dont il importe de débarrasser l'homme afin de lui rendre le bonheur de l'enfant mineur qui obéit en toute innocence sans avoir à s'affirmer. Mythologies et idéologies, griseries et extases sont les expressions de cet ardent désir de surmonter sa conscience subjective en se fondant dans l'unité de la

11. DOSTOÏEVSKI, *Les Frères Karamazov* (1880), trad. Boris Schloezer, Stock, 1949 p. 344-368.

psyché collective et dans l'oubli de sa propre responsabilité et de son autonomie ; l'homme aspire à se décharger de sa responsabilité en se conformant à ce que la collectivité considère *a priori* comme juste et défini.

L'homme dispose donc de la liberté, mais il en a en même temps très peur. Aussi n'a-t-il rien de plus pressé que de s'en défaire. Quelle que soit la façon dont il s'y prenne, le schéma utilisé est facile à voir : au lieu de tenter la synthèse des extrêmes, il fuit dans l'un des deux opposés en cherchant à tout prix à éliminer l'autre. Par exemple il peut se dire qu'il n'est nul besoin d'avoir peur, du moment qu'il fait tout ce qui est *nécessaire*, car le nécessaire ne saurait jamais être faux. Il peut aussi s'efforcer de maintenir la *possibilité* ouverte : aussi longtemps que toutes les possibilités restent ouvertes, ce qu'il fait ne saurait être faux. Ou il se convainc qu'il restera inattaquable tant qu'il oriente *a priori* sa volonté et son action sur *l'infini* : il se déclare soulevé par un désir impossible à satisfaire, par une utopie irréalisable, et, pour faire preuve de cette bonne volonté, il s'use à construire une vraie pyramide. Ou enfin il se déclare dégagé de tout devoir et de toute contrainte : il se retranche dans le *fini*, s'en tient aux faits tels qu'ils existent, se croit tous les droits et démissionne à la fois de sa liberté et de soi-même. C'est ainsi que Diogène voyait ses concitoyens : désespérant du fini parce que dépourvus de toute perspective ouverte sur l'éternel et incapables d'apprécier leur vie à sa juste valeur, ils s'identifiaient aveuglément à des choses qu'ils n'étaient pas eux-mêmes.

Chacune des quatre façons de résoudre la tension de l'existence en se portant exclusivement à un de ses pôles conduit à une fausse relation à soi et débouche donc sur une forme de désespoir qui détruit la vie authentique. Au premier abord, on y gagne une diminution momentanée de l'angoisse. Tout comme la névrose vise l'*avantage* de permettre d'oublier l'angoisse actuelle en refoulant certains événements traumatiques, il y a une façon de désespérer de l'existence qui permet de se masquer certains domaines de la vie, de les déclarer impossibles et de s'en sentir ainsi soulagé. Mais le revers est encore semblable à celui de la névrose : sans qu'on le remarque, c'est alors toute la vie qui se trouve pénétrée d'angoisse : ce que je voudrais maintenant illustrer en analysant les quatre formes possibles de désespoir.

La postérité intellectuelle de Kierkegaard, celle qui se traduit entre autres dans la doctrine du symbole, de J. H. Schultz[12] et dans l'analyse existentielle de M. Boss[13], G. Condrau[14], L. Binswanger[15], et V. E. von Gebsattel[16], nous permet aujourd'hui de mettre en parallèle les quatre « formes fondamentales » d'angoisse névrotique (pour reprendre le titre que Riemann a donné à son célèbre petit livre[17]), telles que les décrit la psychanalyse, et les quatre formes de désespoir diagnostiquées par Kierkegaard. Nous en donnons le tableau.

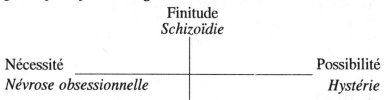

Finitude
Schizoïdie

Nécessité   Possibilité
Névrose obsessionnelle   *Hystérie*

Infini
Dépression

LES QUATRE FORMES DE NÉVROSES : QUATRE FAUSSES MANIÈRES DE TRAITER L'ANGOISSE EXISTENTIELLE

LA NÉVROSE OBSESSIONNELLE

Parmi les quatre formes de névroses, nous prendrons d'abord celle qui concerne le désespoir de nécessité,

12. J. H. Schultz, *Grundfragen der Neurosenlehre. Propädeutik einer medizinischen Psychologie*, Stuttgart 1955, p. 181-198.
13. M. Boss, *Grundriss der Medizin und der Psychologie. Ansätze zu einer phänomenologischen Physiologie, Psychologie, Pathologie, Therapie und zu einer daseinsgemässen präventiv-Medizin in der modernen Industrie-Gesellschaft*, Bern-Stuttgart-Vienne, 1974.
14. G. Condrau, *Daseinsanalytische Psychotherapie*, Bern, 1963.
15. L. Binswanger, *Drei Formen missglückten Daseins*, Tübingen 1956.
16. V.E. von Gebsattel, « Die ankanstische Fehlhaltung », *Handbuch der Neurosenlehre und Psychotherapie* (par V. E. Frankel, V. E. von Gebsattel et J. H. Schulz), Munich-Berlin, 1959, t. II, p. 125-142 ; « Die depressive Fehlhaltung », *ibid.*, p. 143-146.
17. Riemann, *Grundformen der Angst und die Antinomien des Lebens. Eine Tiefenpsychologie Studie über die Ängste des Menschen und ihre Überwindung*, Munich, 1961.

autrement dit la névrose obsessionnelle de la psychanalyse, en cherchant à montrer comment psychanalyse et théologie peuvent s'enrichir pour une meilleure compréhension de la souffrance humaine. Si nous commençons par là, c'est parce que c'est là que l'opposition entre les deux disciplines a été la plus vive : Freud considérait que la religion, tout au moins celle qu'il connaissait, n'était qu'une névrose obsession-nelle[18]. On peut donc penser que cet exemple sera le meilleur pour aborder le dilemme : est-ce la religion qui est névrotique (ou qui rend névrotique), ou, au contraire, est-ce le *manque de religion* qui détraque l'homme, de telle sorte qu'il faudrait poser une équivalence entre guérison de la psyché et matura-tion en Dieu ?

Description.

Kierkegaard a décrit le désespoir de la nécessité comme « manque de possibilité[19] », en ce sens que la liberté de l'homme ne dispose plus d'aucune marge de manœuvre. Le soi de l'homme désespéré étouffe, car il se trouve éternelle-ment pris dans un cercle d'obligation, sans aucun espace pour s'épanouir. Ce n'est cependant pas la réalité qui le contraint et le coince, c'est lui qui se fait du réel une nécessité. Il fuit dans la contrainte, dans l'alibi de la nécessité.

Élargissons notre vision de cette maladie psychique, de cette façon désespérée de vivre. Quelle vie, lorsqu'on ne peut plus considérer comme recevable que l'obligatoire ! Dans l'univers de la pure nécessité, il n'y a plus ni souhaits, ni per-mission, ni amour. Quand on reçoit en consultation un névrosé de ce genre, on l'entend demander, *usque ad nau-seam*, ce qu'il faut faire, ce qu'il se doit de faire. Et ce malade est prêt à tout, sauf à consentir à ce dont il aurait simplement envie. Curieusement, il ne peut éprouver un désir sans le transformer en contrainte, en exigence objective. Il est comme l'enfant qui, au lieu de dire à sa mère : « Je voudrais un bonbon », déclarerait : « J'ai besoin de deux cents calories d'hydrate de carbone pour des raisons de physiologie alimen-taire. » Le résultat, c'est finalement que ce névrosé n'obtient

18. FREUD, *Totem et Tabou*, trad. S. Jankélévitch, Payot, 1973, coll. « PBP ».
19. S. KIERKEGAARD, *La Maladie à la mort*, p. 195-199.

rien. Car on peut lui donner ces deux cents calories sous une autre forme qu'un bonbon, dangereux pour l'émail des dents.

Cependant ce refus du possible, venu du fond de l'être, ne se contente pas de refouler les désirs. Par un véritable retournement, il conduit à lutter sans fin contre soi-même au nom d'un supposé devoir. Imperturbablement, ce névrosé s'enferme dans la lettre de la loi, et s'il y a quelqu'un qui clame que la lettre tue[20], ce n'est sûrement pas lui : pour lui, tout doit être précis et exact. Si on le convoque à un rendez-vous à 17 heures, il tourne déjà autour de la maison vingt minutes à l'avance et il se présente sur le paillasson avec tant de précision qu'on pourrait régler le soleil sur son arrivée. Son costume doit toujours être impeccable. Il s'assoit droit, et on le voit commencer à éplucher du bout des doigts les hypothétiques grains de poussière de ses vêtements et dire sa crainte d'avoir attrapé un peu de boue dans la rue. Car tout ce qui s'écarte ne serait-ce que d'un iota de la bonne conduite, des prescriptions, tout ce qui ne porte ne serait-ce qu'un atome d'incorrection est pour lui l'exception qui, à elle seule, et du simple fait de sa possibilité, anéantit la beauté de la loi du monde.

La défense contre le possible, le rejet de tout ce qu'on pourrait aimer en toute simplicité, conduit le névrosé obsessionnel à ce qu'on pourrait qualifier la « pensée en mais »[21]. Une personne de ce genre pourra vous avoir dit ce qu'elle pense être bon et désirable pour elle, mais l'instant suivant elle vous coupe la parole : *mais* c'est justement ce qu'elle ne peut faire, parce qu'elle est trop vieille, qu'elle a d'autres obligations, etc. Dans un entretien d'aide, il est extrêmement pénible de devoir toujours entendre ainsi plus de négations que d'affirmations : c'est toujours au moment où l'obsédé pourrait se féliciter de quelque chose, louer quelqu'un, admettre qu'il aimerait bien quelque chose, qu'il trouve une objection en *mais* l'autorisant à faire de sa louange une critique ou à réduire à rien le résultat acquis.

Pour comprendre cette *rigidité protectrice du possible*[22], il faut remonter de cette fuite dans la nécessité au noyau de la

20. 2 Co 3,6.
21. Concept forgé par E. Drewermann pour décrire la perpétuelle contradiction interne de la pensée du névrosé obsessionnel : celui-ci ne considère pas la finalité du plan et de l'acte, mais cherche sans cesse à éviter le passage à l'acte grâce à un substitut intellectuel « magique ».
22. Notion introduite par J.H. SCHULTZ, *Grundfragen der Neurorenlehre, Propädeutik einer medizinischen Psychologie*, Stuttgart 1953, p. 293.

vie de cette personne. Pour tous ceux qui *nient ainsi le possible par angoisse*, la pire réalité de l'existence vient de ce que celle-ci, *c'est-à-dire nous-mêmes, ne sommes absolument pas nécessaires*. Il y eut un temps, disons il y a quarante ans, où nous n'existions pas, et il y en aura un autre, dans quarante ans, où nous ne serons plus. Et si nous n'existions pas, personne ne se préoccuperait de nous faire être. Pour parler en termes métaphysiques, si l'obsédé, ce désespéré de la nécessité, se sent très profondément menacé, c'est parce qu'il découvre que nous sommes totalement contingents, que notre existence n'est absolument pas nécessaire. Il tente alors d'arracher de haute lutte la durée : puisqu'il se sent lui-même transitoire, il s'agit donc de *faire* quelque chose qui ne le soit pas. Il en rêve. Il doit à tout prix réaliser quelque chose d'absolu. Plus encore, il lui faut se créer lui-même absolu.

Dans *Les Mots*, Jean-Paul Sartre a décrit de façon inimitable cette perception de la contingence et la volonté désespérée de se poser comme absolu. Il raconte comment, enfant, il assistait à une réception. Les personnalités étaient là, dans l'entrée, debout, un verre de champagne à la main, sous les grands lustres de cristal. Il se sentait lui-même exclu : personne n'avait besoin de lui ; il ne manquait à personne ; il était simplement de trop. À ce moment, écrit-il, je décidais de devenir aussi nécessaire aux autres que le pain et l'eau[23]. Tel est bien le désir fondamental qui s'affirme au fond de celui qui ressent le désespoir : il s'éprouve comme absolument injustifié et superflu, et, puisqu'il n'est pas nécessaire, il doit se *faire* nécessaire ; ainsi se découvrira-t-il le droit de vivre ; il sera dans l'obligation d'être. Car même le désir d'être ne devient acceptable qu'au titre d'obligation. Et pour mériter celle-ci, l'obsédé est prêt à tout. Tout ce qu'il fait doit prendre un caractère d'absolu. Il ne doit faire montre d'aucune faute. Il lui faut être parfait à cent pour cent.

Il ne sait mesurer les choses qu'en chiffres absolus. Il fonctionne à la manière d'un distributeur automatique qui n'accepte que les francs. Peu lui importe qu'on lui fournisse des pièces de vingt ou de cinquante centimes : c'est un franc tout rond ou rien. Mais y a-t-il en l'homme quelque chose qui marche à cent pour cent ? De quoi ne peut-on dire que ce pourrait être meilleur encore ?

23. Jean-Paul SARTRE, *Les Mots*, Gallimard, 1964, p. 74. Voir *SB*, III, p. 239.

Qu'on s'imagine un écrivain mû par cette prétention. Il rédige un traité. Il faut que ce soit parfait, définitif. Mais voilà qu'un collègue traite du même sujet. Danger ! Il pourrait dire des choses auxquelles on n'aurait pas pensé. Tout le travail accompli semble d'un seul coup réduit à néant : nul ! Que faire ? Essayer de se défendre contre l'autre ? Bien sûr, il faut se défendre, le coincer, le prendre en défaut. L'obsédé, ce désespéré de la nécessité, ne peut percevoir l'autre que comme un concurrent. Son seul problème, c'est de savoir s'il est supérieur ou inférieur. S'il entend parler d'une découverte touchant son domaine de recherche, il se sent aussitôt menacé. Il lui faut reprendre le dessus et trouver des raisons de déprécier l'autre. Quelle chance s'il trouve un minuscule détail permettant de prouver que l'autre se trompe. Car la faute de l'autre est ce qui lui donne raison, ce qui lui permet de continuer à croire en son caractère absolu.

Schéma de concurrence mortelle dont nous trouvons une excellente illustration dans un récit biblique : qu'on songe à la scène de Gn 4, 1-16, où les hommes, chassés du paradis, ont perdu la justice originelle ; ils font leur possible pour se faire à nouveau accepter par Dieu, pour mériter son accueil, pour retrouver leur valeur à ses yeux. Mais voilà que Caïn est saisi d'un désir meurtrier, exactement celui de la névrose obsessionnelle : il doit pouvoir accomplir ce qu'il veut ; il se doit d'apporter en sacrifice le meilleur de ce qu'il possède, et rien ne sera suffisant ni assez beau pour cela, parce qu'il existe quelqu'un, près de lui, qui fait meilleure figure, quelqu'un dont la seule présence suffit à lui donner le sentiment d'être réduit à rien[24]. Ainsi les gens qui, dès le départ, se sentent injustifiés, se doivent-ils d'entrer en concurrence et tenter de s'éliminer. 1+1=1 : tel est notre « terrible secret », déclare Jean-Paul Sartre dans *Les Séquestrés d'Altona*[25].

Le trait essentiel d'une personne ainsi désespérée de la nécessité, c'est un sadisme sans limite, une éternelle agressivité souterraine destructrice de tout ce qu'il peut y avoir de bon chez autrui. Ce n'est qu'à travers l'abaissement des autres qu'une telle personne trouve sa justification. C'est ce qu'illustre le propos du cheikh Saadi dans *Le Jardin de*

---

24. *SB*, III, p. 273.
25. Jean-Paul SARTRE, *Les Séquestrés d'Altona,* Gallimard, 1960.

roses : « Ceux qui sont tes ennemis, ceux qui le seront et ceux qui le furent, enflent de la rancune que tu leur as infligée[26] ! »

Genèse.

D'où vient cet état d'esprit ? Comment le guérir ?

Depuis l'analyse de l'« homme aux rats[27] », par Freud, la psychanalyse a beaucoup progressé dans la découverte des facteurs empiriques qui expliquent la genèse de cette forme de névrose[28]. L'expérience de ce malade consiste toujours à se sentir injustifié, superflu, et elle le conduit à penser qu'il ne pourra justifier sa vie que par ses actes. Pour traduire le petit monde de rêve auquel a conduit toute l'éducation enfantine de l'obsédé, on pourrait dire qu'il consiste à se répéter : « Puisque tu existes, tu dois être obéissant, travailleur, gentil, ordonné, correct, irréprochable, un modèle pour tous, l'orgueil de tes parents. Et ne commence surtout pas à avoir des désirs ou des besoins à toi ! Pour cela, nous, tes parents, n'avons ni temps, ni argent, ni cœur. Tu ne dois être que ce que tu fais, que ce que tu dois faire, et tu dois faire ce que les grands te disent. » Parfait discours-type pour déclencher une névrose obsessionnelle !

Il y a ces facteurs biographiques. Encore faut-il évidemment distinguer ce qu'un adulte dit à un enfant et ce qu'un enfant se dit à lui-même. La névrose est parfaite quand l'expérience acquise à travers le *drill* parental acquiert un caractère éternel ; ou, pour prendre les choses par l'autre bout, il y a désespoir de la nécessité quand un seul et même axiome finit par imprégner tout le sentiment de la vie, toute la pensée, toute la vision de l'existence : pour me justifier, je ne dois cesser d'y travailler. Si je dois exister, je dois faire quelque chose d'indispensable pour devenir moi-même indispensable. Sinon, je m'effondrerai dans le gouffre du néant, de la contingence, dans la boue du superflu et du transitoire.

---

26. Saadi (environ 1250), *Hundert und eine Geschichte aus dem Rosengarten. Ein Brevier orientalischer Lebenskunst*, Zurich 1967, p. 188.

27. S. Freud, *Remarques sur un cas de névrose obsessionnelle (L'homme aux rats)* (1909), trad. M. Bonaparte et R. Loewenstein, dans *Cinq psychanalyses*, Presses universitaires de France, 1954, p. 199-261.

28. Otto Fenichel, *La Théorie psychanalytique des névroses* (2 vol.), Presses universitaires de France, 1979.

La guérison : croire en une justification préalable de l'existence.

Le troisième point, et le plus important, de la doctrine de Kierkegaard, est de rapporter le désespoir à Dieu : le désespoir est un *péché*, il faut même dire tout simplement *le péché*. Pour bien comprendre cette idée, il suffit d'en rester à notre exemple en nous demandant ce qu'une personne ainsi désespérée doit découvrir pour guérir. Sa maladie, son désespoir, c'est le sentiment de ne pouvoir exister qu'en raison d'un droit à être qu'elle se serait elle-même acquis. Son salut consistera au contraire à pouvoir sentir et penser qu'elle peut aussi avoir à vivre tout en étant non nécessaire. Il faudrait au fond d'elle-même quelque chose qui justifierait cette existence totalement contingente, et ceci *a priori*, sans qu'il ait besoin de rien faire pour cela. Il doit y avoir une réalité qui, préalablement à tout acte de sa part, accepte et veut gratuitement son existence non nécessaire. En d'autres termes, le désespéré de la nécessité doit découvrir une volonté préalable qui, en lui disant oui, en voulant qu'il soit, le justifie. Or cela, aucun autre homme ne peut le lui apporter. Car ce n'est qu'en parvenant à croire à un oui prélable à son existence qu'il pourra lui-même s'accepter dans sa contingence et dans son néant. Ce n'est également qu'ainsi qu'il pourra dépasser son éternelle mentalité de concurrence envers l'autre en acceptant de croire que celui-ci peut lui reconnaître sa valeur.

C'est bien ici que nous retrouvons dans toute sa clarté la sagesse du récit yahviste des origines, quand il nous dit que les humains qui ont perdu Dieu de vue ne savent plus s'aimer qu'en s'humiliant (Gn 3,16) et, dans leur vie d'étrangers bannis du paradis, en arrivent à se détruire mutuellement[29]. Il marque que, tout au contraire, dans la mesure où l'homme vit en accord avec Dieu, il se découvre lui-même et découvre l'autre. Quelle meilleure expression de la guérison de la névrose obsessionnelle, du désespoir de la nécessité, que les paroles de Jésus, si souvent répétées dans l'Évangile ? Prenons Mc 4 : « C'est d'elle-même que la semence croît, et non par ton intervention » ; ou Mt 6 : « Quel profit tirez-vous de vos efforts, de vos soucis, de votre enflure, de votre apparence ? » Tout revient en définitive à la question de savoir si, oui ou non, nous sommes assez bons aux yeux de Dieu et en

---

29. *SB*, II, p. 214-216. III. p. 263-278.

lui. On peut aussi prendre la parabole des talents[30] : il n'y a aucune raison de désespérer de n'avoir reçu qu'un talent, là où un autre en a reçu cinq ; certes, si on est coupé de Dieu, c'est ce qu'on fait ; mais, avec Dieu, il est possible d'accepter ses propres limites. Nul besoin de plus : celui qui doit être, c'est bien cet homme-là. Telle est la réponse de la foi à la question du désespoir de la nécessité : tu n'es pas nécessaire, mais tu peux être, car Dieu aime déjà que tu sois là.

Résumé.

On peut résumer tout ce que nous venons de dire à travers les deux définitions de Kierkegaard qui conjuguent profondément psychanalyse et théologie[31] : le désespoir est une mauvaise relation à soi-même en raison d'une mauvaise relation à Dieu, la foi est relation authentique à soi-même en raison d'une relation authentique à Dieu. Bien sûr, on a besoin de très longtemps pour réaliser existentiellement ces axiomes théologiques et pour en arriver à ce qu'affirme le début du Sermon sur la montagne : « Bienheureux ceux qui pleurent » (Lc 6).

Nous avons finalement découvert quatre choses :

Le désespoir de l'homme ne porte pas sur quelque chose d'extérieur à lui, mais sur lui-même ; et s'il désespère de quelque chose qui lui est extérieur, il montre seulement que ce désespoir l'habitait déjà.

Les formes de désespoir ne varient pas à l'infini. Il y en a quatre. Elles ne sont que des couvertures derrière lesquelles on retrouve tant les quatre formes de névroses que découvre la psychanalyse lorsqu'elle cherche à établir empiriquement l'étiologie de l'angoisse, que les catégories de la pensée existentielle, lorsqu'elle décèle derrière les névroses une angoisse plus fondamentale, celle que sécrète la liberté humaine elle-même.

En étudiant l'exemple de la névrose obsessionnelle, nous avons vu comment une existence se trouve en défaut vis-à-vis d'elle-même quand, dans son souci d'échapper à l'angoisse, elle absolutise un de ses pôles.

30. Mt 25, 14-30.
31. KIERKEGAARD, *La Maladie à la mort*, p. 171-172. Voir *SB*, III, p. 464.

La victoire sur le désespoir et sur la névrose suppose un acte de confiance globale envers l'origine de l'existence. Mesurés à l'aune d'une foi possible, ce désespoir et cette névrose apparaissent péchés. Mais les reconnaître comme péchés signifie accepter la grâce rendant possible d'être.

Partant de ce que nous venons de dire, il n'est pas difficile de traiter des trois autres formes de névroses. Nous disposons du schéma logique de la déviance, et nous pouvons donc sauter immédiatement de la notion traitée à la vérité qui s'y manifeste.

L'HYSTÉRIE

La transition vers notre deuxième exemple, celui de l'hystérie, ou désespoir de la possibilité[32], s'impose d'elle-même. Cette névrose est l'exact opposé de la précédente, car tout son sens et sa finalité consistent à ne faire valoir que le rôle contraire de l'existence en l'absolutisant : le point de fuite contre l'incertitude d'une angoisse qui ne s'est pas encore surmontée dans la synthèse unifiante de l'être, ce n'est plus la nécessité, comme dans la névrose obsessionnelle, mais la possibilité. Tous les détails de l'hystérie reflètent ainsi comme en miroir notre première névrose.

Description.

On convoque une jeune femme hystérique à 17 heures. Elle arrive à 17 heures 20, vêtue d'une robe à la mode, aux couleurs recherchées, à la main un bouquet de fleurs qu'elle vous offre en cadeau ; elle vous décrit longuement le charme de la promenade qu'elle vient de faire le long de la rivière, le chant des merles ; bref, on n'est qu'un fasciste si, devant cette joie de vivre et cette ouverture, on s'indigne devant quelques ridicules minutes de retard. Il faut pourtant avoir le courage de s'exposer au soupçon d'inhumanité en regardant sa montre pour rappeler que la séance *devra* se terminer exactement à 17 heures 45.

32. KIERKEGAARD, *La Maladie à la mort*, p. 192 s. ; *SB*, III, p. 475-476.

Car c'est justement devant l'obligation que fuit l'hystérique. Il voudrait éviter toute pression, tout devoir, toute nécessité. Il croit ne pouvoir se débarrasser de son angoisse latente qu'en s'assurant continuellement que rien n'est encore décidé, que tout reste encore possible. Il a besoin de la porte de sortie qu'est l'indécision, afin de se garantir sa liberté d'accès au royaume de la liberté. Sans doute, dans sa fuite devant la nécessité, tombe-t-il alors dans un monde de fantaisie totalement étranger à la réalité. Finalement, toute son attitude le pousse à éteindre la lumière trop brutale du nécessaire et du réel pour éviter les handicaps de ses contraintes et de ses devoirs.

Le comportement qu'il adopte pour s'aveugler devant le réel et pour s'évader dans la fantaisie, c'est le *jeu*[33], le théâtre : la vie se transforme en une immense scène. On pourrait dire que, tandis que le névrosé obsessionnel, dans sa fuite devant la possibilité, ne connaît que « le sérieux de la vie », l'hystérique, lui, ne vit que dans la « légèreté de l'art » ; à moins que la scène comique qu'il se joue à lui-même ne dégénère en amère tragédie. À force d'éviter de se fixer, ou de se laisser fixer d'une quelconque manière, il n'arrive jamais à se proposer aucun scénario du cours de sa vie. Dans son effort pour se garder ouvertes toutes les possibilités, il se retrouve dans la perpétuelle obligation de devoir demander aux autres quelle est la pièce à jouer et quel rôle il y tient. Spectateur né, du fait de son angoisse, toute sa vie il met son honneur à se prouver et à prouver aux autres qu'il peut aussi bien être Jago qu'Othello, Shylock qu'Antonio[34] ; et tous ses efforts visent directement à pouvoir être *tous* ces rôles.

C'est bien pourquoi, en dépit de son illusion de liberté sans limites, l'hystérique, ce désespéré de la possibilité, n'agit en réalité que de façon totalement conditionnée, totalement déterminée de l'extérieur. Le scénario qu'il se laisse prescrire par les autres n'est jamais le sien et ne lui correspond jamais. Il se passe pour lui quelque chose de semblable à ce qui arrivait au roi Midas, qui transformait en or tout ce qu'il touchait, mais qui se trouvait ainsi condamné à mourir de faim[35].

33. W.T. WINKLER, « Die hysterische Fehlhaltung », *Handbuch der Neurosenlehre und Psychotherapie*, t. II. p. 180-181 s.

34. Personnages opposés de deux drames de Shakespeare : *Othello* et *Le Marchand de Venise*.

35. OVIDE, *Les Métamorphoses*, XI, 90 ; trad. J. Chamoncerd, Éd. Garnier-Flammarion, 1966, p. 277-280.

« Quand je suis dans un groupe », disait un jour un hystérique, « je sais tout de suite ce que les autres veulent, et je
peux me mettre tout de suite dans le coup. Mais ce que je
veux, moi, je ne le sais pas ».

Une telle parole est bien ce qui permet d'apercevoir
l'angoisse qui est la sienne devant tout ce qui est fixe et
décidé : par amour de son jeu des possibles, il n'ose s'engager et se lier ; pour n'avoir jamais à devenir lui-même, il fuit
dans le monde de la pure apparence ; il ne cesse de cacher son
être personnel derrière une infinité de masques. Au lieu de
vivre par lui-même, il n'existe que du fait du bon vouloir et
de l'agrément de la foule. À la lettre, il mesure tout ce qu'il
entreprend aux applaudissements et à l'approbation des
autres.

Il est donc très juste de parler, non seulement de son acti-
visme, mais de son agitation[36], de sa tendance à la fuite cen-
trifuge[37], mais en même temps de son *attitude sexuelle*[38]. De
fait, l'apparition de l'hystérique prend toujours forme de
coquetterie. Il voudrait frapper, être vu, attirer sur lui les
regards d'admiration, jouir de l'attrait et de la fascination que
provoque son aspect extérieur. C'est d'une certaine façon un
perpétuel séducteur. Il ne voudrait cependant pas qu'on se
méprenne en confondant son flirt avec une véritable proposi-
tion. L'homme qui aurait le malheur de prendre au mot une
hystérique, ou mieux, de croire à l'apparence, sera vite
détrompé en découvrant qu'elle repousse violemment,
presque avec fureur, ses avances, quitte, quelques instants
plus tard, à sembler prodiguer toute sa faveur à un caballero
plus digne et plus valable. En matière érotique, l'hystérique,
perpétuelle énamourée, reste en fait une éternelle frustrée ;
car l'amour signifierait un lien porté à son paroxisme, et c'est
ce que l'hystérique fuit le plus.

Genèse de l'hystérie.

Un mot suffit à illustrer l'interprétation que le psychanalyste donne de cette attitude défectueuse : complexe

---

36. J. Hirschmann, « Primitivreaktionen », *Handbuch der
Neurosenlehre und Psychotherapie*, p. 93, 95.
37. J. H. Schulzt, *Grundfragen der Neurosenlehre*, p. 203.
38. W. Reich, *L'Analyse caractérielle*, Payot, 1900.

d'Œdipe[39]. L'hystérie remonte donc à une époque où la fille portait un amour funeste à son père (ou le garçon à sa mère). L'hystérique ne s'est jamais vraiment séparé de ses parents, et il attend de son partenaire ultérieur qu'il lui serve à la lettre de père (ou de mère). À lui de se couler dans l'autorité du rôle qui est celui du père pour la fillette de quatre ans ; il ne saurait suffire qu'il soit homme : il lui faut être un géant, un demi-dieu, un Hercule, un Superman, un Zampano qui demain fera se lever et se coucher le soleil. À l'inverse, la femme d'un hystérique devra avoir la stature et le format de la grande déesse, incarner tous les attraits, toute la beauté d'une Héra, d'une Aphrodite. Il n'est pas besoin de beaucoup d'imagination pour comprendre que, face à la réalité, de telles aspirations ne peuvent finalement déboucher que sur des désillusions : avant même la nuit de noces, le mari n'apparaît déjà plus que comme un crevard, l'épouse manque vraiment de charmes ; et ainsi l'hystérique se transforme-t-il nécessairement en Don Juan, nomade de l'amour éternellement en recherche de l'image idéale de la femme (ou du mari), éternellement ballotté, éternellement perdu, éternellement malheureux, mais aussi éternellement prêt à rêver une heure de la première rencontre venue comme de la bénédiction du monde.

Une foi qui guérit et libère de la déification de l'homme.

Pour saisir le rapport de cette courte esquisse avec la théologie, repartons encore d'un récit biblique où le syndrome de l'hystérie joue un rôle central. En Jn 4, lors de la rencontre de Jésus avec une femme, à la fontaine de Jacob, il est longuement question de ce qui peut apporter le bonheur à l'homme et de ce à quoi celui-ci aspire vraiment. La femme semble défendre un certain temps l'idée qu'elle serait parfaitement heureuse si quelqu'un pouvait la décharger des fatigues de la vie à l'extérieur. Et c'est au moment précis où elle explicite vraiment cette attente que Jésus lui demande d'aller chercher son mari[40]. Elle doit alors confesser qu'elle n'a pas de mari,

---

39. H. NUNBERG, *Allgemeine Neurosenlehre auf psychoanalytischer Grundlage* (avec une introduction de Freud à la première édition), Berlin-Stuttgart, 1959, p. 88-91.
40. Voir Jn 4, 16.

et Jésus, soulignant bien ce qu'elle dit, lui rappelle qu'elle a déjà eu cinq hommes, mais que c'est à juste titre qu'elle peut dire : « Je n'ai pas de mari. » Il entend manifestement lui dire : « Tu ne peux trouver l'amour auquel tu aspires le plus aussi longtemps que tu demandes l'impossible à l'autre. Tu resteras à sa recherche aussi longtemps que tu voudras y trouver un substitut de l'absolu, de Dieu. » Ou, en prenant les choses par l'autre bout : « Tu ne trouveras de mari que quand tu auras trouvé en toi une consistance qui ne vient que de Dieu. Ce n'est que quand tu te seras trouvée en Dieu que tu pourras accepter l'autre auprès de toi, sans l'accabler du caractère absolu de tes attentes et sans te vouer toi-même à la désillusion. » L'homme ne peut donc que désespérer hystériquement tant qu'il cherche dans un tiers le repos et la sécurité qu'il ne peut trouver qu'en Dieu.

On commet déjà un contresens quand on veut comprendre les attentes d'un enfant vis-à-vis de ses parents autrement que comme une première expression d'une attente absolue. C.G. Jung nous a sans aucun doute rendu un fier service quand, en s'opposant à Freud, il a vu dans le « père » et la « mère », non pas seulement des figures, des *imagines* rappelant les premières impressions personnelles du temps de l'enfance, mais des images archétypales : c'est à partir de la mémoire de l'espèce humaine, donc bien avant de resurgir à travers la psychogenèse individuelle, que ces images suscitent un lien entre l'enfant et ses parents[41]. Ce n'est pas au moment où il repose dans le nid de ses parents que le tisserin intègre dans toute sa complexité le schéma de fabrication de son nid ; il le porte depuis longtemps en lui, avant même de sortir de l'œuf ; ce n'est pas non plus de ses parents que la nonnette a appris à orienter son vol migratoire sur les constellations célestes : elle a déjà en elle ce savoir comme quelque chose d'achevé et de disponible[42] ; de même l'homme possède-t-il en lui des images *a priori* de son désir de sécurité absolue et d'acceptation sans condition ; et ce n'est que de

41. C. G. JUNG, *Die psychologischen Aspekte des Mutterarchetypus* (1939), « Die Archetypen und das kollektive Unbewußte », Olten-Fribourg, 1976, p. 89-123 ; *La Psychologie du transfert, illustrée à l'aide d'une série d'images alchimiques* (Prologue, 1945) ; trad. É. Perrot, Albin Michel, 1980, p. 15-18.

42. Voir C.G. JUNG, *Die Bedeutung des Vaters für das Schicksal des Einzelnen* (1909), « Freud und die Psychoanalyse », *Gesammelte Werke*, t. IV, Olten-Fribourg, 1969, p. 364.

façon momentanée qu'ils les projette sur son père et sa mère, avant de se distancier bientôt d'eux. Une fois cette séparation effectuée, chacun tend à revivifier cette image du père et de la mère à propos de l'amante ou de l'épouse. Mais il est clair que l'amour de l'autre ne fait que contenir la promesse d'une sécurité qu'il ne peut assurer, promesse fondamentale à laquelle il faut le renvoyer si on veut en attendre quelque chose. C'est pourquoi l'Église catholique a raison quand elle déclare que seuls ceux qui se sont trouvés eux-mêmes en Dieu peuvent former un couple susceptible de se maintenir jusqu'à ce que la mort le sépare. Ce n'est qu'en Dieu qu'un tel amour entre les humains est possible ; sans lui, il ne peut que retomber de toute la hauteur à laquelle on a voulu l'ériger. Car ce n'est que *quand Dieu est déjà là que l'autre peut cesser* de devoir être Dieu.

Comparaison entre la névrose obsessionnelle et l'hystérie.

Sur l'axe reliant le pôle de la nécessité à celui de la liberté, on peut donc opposer ces deux formes de névroses que sont l'obsession et l'hystérie comme deux formes nécessaires de désespoir d'une existence coupée de Dieu. L'obsédé vit dans un monde dépouillé de la grâce, et il s'efforce de venir à bout de son angoisse en exigeant de lui-même résultat et perfection, comme pour être Dieu. L'hystérique au contraire cherche à échapper à l'inconsistance de sa vie en fuyant dans un autre qu'il érige en Dieu. Ces deux formes de névrose ont donc un sens similaire : toutes deux veulent se dispenser de Dieu en fuyant dans l'hallucination d'un « vouloir-être-comme-Dieu[43] ». Et on ne comprend toute la portée de cette vieille définition biblique du mal que quand on perçoit les déformations concrètes de la psyché humaine, les névroses, que ce souhait désespéré peut provoquer. À l'inverse on peut aussi reconnaître que la guérison d'une névrose ne saurait venir que d'un discernement relevant de la confiance et de la foi. L'obsédé doit apprendre qu'il suffit d'être homme, puisque Dieu est. L'hystérique doit apprendre que, sous le regard de Dieu, il peut trouver en soi-même le repos suffisant pour s'éviter d'avoir à diviniser l'autre. En s'ouvrant à la

---

43. *SB*, III, p. 253-263 ; 310-324.

confiance, l'un comme l'autre, l'obsédé comme l'hystérique, ont à s'apprendre réciproquement quelque chose : le premier peut découvrir le jeu comme un devoir, le second le devoir comme un jeu. Car, de même que l'obsédé n'a plus à se conférer lui-même sa valeur, à partir du moment où un vis-à-vis absolu l'affirme déjà, de même l'hystérique n'a plus à gaspiller sa personnalité au jeu de l'amour, à partir du moment où il se sait *a priori* ancré dans une relation absolue. Ainsi ont-ils à s'enseigner l'un à l'autre comment renoncer à ce rétrécissement qu'est leur désir désespéré de devenir semblable à Dieu, et comment retrouver une synthèse de la réalité qui les dispenserait, l'un d'avoir toujours à se forcer pour être à la hauteur d'un absolu fictif, et l'autre d'être constamment en quête d'approbation pour avoir l'impression que son existence est justifiée. Sous le regard de Dieu, c'est plutôt en soi qu'on découvre la justification de son existence. L'homme n'a ni à se la donner, ni à la courtiser : il la trouve en Dieu, ce qui lui permet de vivre.

Le second axe de notre système, celui qui va du pôle de la finitude à celui de l'infini, permet également de faire ressortir la relation qui existe entre le désir désespéré de se faire semblable à Dieu et des formes bien précises de névroses. Notre réflexion théorique a déjà montré comment la liberté humaine consistait à faire la synthèse entre ces deux pôles. Dès que l'on pose un des deux comme absolu, on voit aussitôt surgir une nouvelle forme de désespoir. On peut donc se heurter à deux nouvelles déformations maladives de l'existence.

LA DÉPRESSION

Pour commencer par une première variante, nous étudierons le cas d'un homme désespéré s'obstinant à refuser tout ce qui est limité, fini, temporel. Il est facile de montrer que ce « désespoir de l'éternel » (Kierkegaard) n'est rien d'autre qu'une névrose dépressive[44]. Ce qu'illustrent abondamment les traits caractéristiques du déprimé : son sentiment débordant, infini, de responsabilité et de culpabilité joint à sa disposition illimitée à s'engager et à se dévouer pour les autres.

---

44. *SB*, III, p. 469. S. KIERKEGAARD, *La Maladie à la mort*, p. 217-223.

Description.

On reconnaît du premier coup le véritable dépressif[45]. Rayonnant de joie, il explique à son médecin ou à son pasteur qu'il ne leur demande que quelques instants ; qu'il leur est très reconnaissant de lui accorder cette occasion de parler, en dépit du peu de temps dont ils disposent ; finalement tout sera très vite réglé et il ne veut en tout cas pas le déranger. Devant une telle introduction, il est naturellement conseillé de bien se caler dans son fauteuil, certain qu'au contraire le visiteur va peu à peu tout déballer. Effectivement, en vous assurant qu'*il ne veut en aucun cas vous déranger*, le déprimé ne fait qu'exprimer l'immense angoisse qui l'habite : pouvoir enfin poser quelque part l'effroyable charge que constitue son existence. Vous pouvez aussi être assuré qu'au bout de vingt minutes un véritable dépressif lorgnera sur l'horloge et vous dira que cela suffit : vous l'avez déjà tellement aidé ! Combien doit-il pour ce si précieux entretien ? Bref, tout au long de la consultation, il traînera comme un fil rouge cette peur panique d'être à charge. Si on généralise cette première impression, on notera vite que ce souci cache constamment un sentiment de culpabilité qui affecte toute sa vie. À la grande différence du névrosé obsessionnel, le dépressif se sent déjà coupable, non pas de faillir à sa tâche, mais du simple fait d'exister. Etre là, qu'il puisse y avoir quelqu'un comme lui, cela signifie que, d'une certaine manière, il est *nécessairement* à charge : il a besoin de vêtements, et cela coûte de l'argent. Il lui faut de la nourriture, et cela coûte de l'argent. Il a besoin de l'autre, et cela coûte du temps. Il n'est pas possible de vivre sans peser. Ainsi le dépressif a-t-il de plus en plus l'impression qu'il aurait été bien meilleur qu'il ne soit pas né, car il aurait ainsi la garantie de n'être à charge à personne. Mais puisqu'il existe, il doit s'efforcer de réparer tout au long de sa vie cette faute que constitue son existence. Il a en tout cas la conviction qu'il ne vaut rien, qu'il devrait débarrasser le terrain, tant il est minable, gênant, pesant, répugnant. Pour pouvoir continuer à vivre, il ne dispose pas de plus de moyens que ces chèvres que l'on aurait tuées depuis

---

45. K. SCHNEIDER, *Klinische Psychopathologie*, Stuttgart, 1967, p. 22.

longtemps si elles ne continuaient pas à donner du lait : lui doit à tout prix compenser ce péché mortel qu'est son existence en se rendant très utile[46].

Cette « super-utilité » devient chez lui quelque chose de fabuleux. Alors que, de peur de se sentir à charge, il n'ose lui-même exprimer aucun souhait, il se montre vraiment expert ès-déchiffrements des souhaits du prochain, avant même que celui-ci n'en ait pris conscience. Par peur d'être lui-même, il s'efforce continuellement de faire sienne la vie des autres. Il s'identifie totalement à leur peine, à leurs besoins[47], et ce sentiment qu'il a du monde ne fait que renforcer sa certitude qu'il n'a pas le droit d'exister au milieu de tant de malheurs, même s'il donne aux autres tout ce qu'il a et tout ce qu'il est. L'univers lui apparaît sous la forme d'un vampire se livrant à une orgie cannibale où il ne s'agit que de « bouffer » et de « se faire bouffer »[48] ; mais lui est destiné à se laisser avaler cuir et poil par les exigences des autres. Bien plus, il se précipite pour s'offrir, pour se rendre enfin utile, car seule le multiplicité des services qu'il rend peut expliquer l'existence sur terre de quelqu'un comme lui. Il ne se sent autorisé à vivre que comme médecin, mère, travailleur social, éternel militant caritatif, même si cette façon d'envisager la vie contribue plus qu'aucune autre à la lui rendre encore plus insupportable.

Veut-on voir à quel point le dépressif est un désespéré de l'infini, un angoissé qui ne cesse de fuir la finitude ? Il suffit de l'observer au moment où, raisonnablement, il serait grand temps pour lui de marquer les limites en opposant clairement un non à une nouvelle charge, à un rendez-vous supplémentaire, à une nouvelle demande. En dehors de ses propres souhaits, rien n'est plus pénible pour lui que de

46. Voir à ce sujet l'image de Gn 3,17-19. Voir *SB*, I, p. 95-96 ; III, p. 258-259, 471.

47. En ce qui concerne ce mécanisme d'identification, Anna FREUD, *Le Moi et les Mécanismes de défense*, trad. A. Berman, Presses universitaires de France, 1949, p. 101-112 ; *SB*, II, p. 184-186.

48. En ce qui concerne l'imaginaire cannibal du dépressif, voir Karl ABRAHAM, *Esquisse d'une histoire du développement de la libido basée sur la psychanalyse des troubles mentaux* (1924) dans *Œuvres complètes*, trad. I. Barande et É. Brin, Payot, coll. « PBP », t. II, p. 255-313 (p. 272-279).

refuser quelque chose[49]. Il ne se penserait un tel droit que
s'il avait lui-même le droit d'exister. Mais puisqu'il ne l'a
pas, puisque seule son utilité lui permet de soutenir un instant de plus l'épée de Damoclès qu'il sent suspendue au-dessus de lui, le simple fait d'oser dire non le précipite littérale-
ment dans une angoisse mortelle. S'il n'obéit pas aussitôt, il
craint vraiment de voir l'autre l'anéantir. Ainsi lui faut-il
d'une certaine manière être comme Dieu : tout comme lui, il
doit être responsable de tout, tout savoir, être partout, être
tout-puissant. Dès qu'il réfléchit, il en arrive à se penser
coupable de tout ce qui peut se passer d'effrayant dans le
monde. Dès qu'il entend quelqu'un jurer et proférer des
malédictions, serait-ce trois étages au-dessus de son palier, il
est certain que cela le concerne. La description de Rilke
dans son poème « Heures graves », vaut totalement pour
lui :

> Quiconque pleure, à présent quelque part, dans le monde,
> sans raison pleure dans le monde,
> pleure sur moi.
> Quiconque rit à présent quelque part, dans la nuit,
> sans raison rit dans la nuit,
> rit de moi.
> Quiconque marche à présent quelque part, dans le monde,
> sans raison marche dans le monde
> vient vers moi.
> Quiconque meurt à présent quelque part dans le monde,
> sans raison meurt dans le monde,
> me regarde[50].

C'est exactement de cette façon que le dépressif se perçoit
au centre de tous les appels du monde. Et comme il ne lui est
pas possible d'être « tout à tous[51] » et de faire droit à tous, il
continue à se sentir infiniment coupable, en dépit de ses
monstrueux efforts, en même temps que ceux-ci renforcent en

---

49. H. Schulz-Hencke a parlé à ce propos de « blocage retentif ». Voir
H. SCHULZ-HENCKE, *Lehrbuch der analytischen Psychotherapie* (1951),
Stuttgart, 1956, p. 28-32. Chez le dépressif, ce n'est pas en premier lieu
la capacité anale de retenue qui est bloquée. Le blocage retentif procède
chez lui du sentiment profond d'être injustifié, et *donc* de n'avoir aucun
droit de prétendre à rien posséder. Le blocage anal n'est ici que la conséquence du sentiment d'angoisse et de culpabilité.

50. R. M. RILKE, « Heure grave », *Livre d'images* (1899-1905), dans
Poésies trad. Maurice Betz, Éd. Émile-Paul, 1942, p. 110-111.

51. I Co 9,22.

lui son sentiment d'insuffisance. Lorsque cette dépression prend une forme psychotique, on peut en arriver à un délire de culpabilité[52], avec l'idée qu'on a déclenché une guerre, préparé la fin du monde, etc.

Quand on dit que le dépressif ne peut vivre sans se montrer utile, cela ne signifie naturellement pas que ses interventions objectives le soient effectivement. En réalité, elles provoquent souvent plus de dégâts que d'avantages. En effet, dans la mesure où, pour vivre lui-même, il doit vivre dans l'autre, l'aide qu'il apporte et la fatigue qu'il se donne tendent à gêner l'autre en lui « pompant l'air ». Il est clair qu'une mère dépressive, toujours prête à prévenir tous les souhaits de son enfant et incapable de lui refuser la moindre chose, le rend terriblement dépendant, incapable d'agir par lui-même. En dépit de sa bonne volonté, elle finit objectivement par faire mal ; et il n'y a finalement rien de plus déprimant pour le dépressif que de découvrir que la démesure même de son don de soi a fini par constituer une faute envers l'autre.

Genèse.

Les facteurs psychogénétiques de la dépression sont, eux aussi, bien connus du psychanalyste[53]. Cette névrose apparaît surtout dans certaines circonstances qui font de la simple existence de l'enfant un véritable poids pour les membres de sa famille : si par exemple il est né en 1944, au moment de l'évacuation de sa famille de la Prusse orientale, ou dans les années d'après-guerre, à une période de chômage et de famine, ou au moment où les parents étaient sur le point d'ouvrir un magasin. La nervosité et les accès de colère du parent dominant, à moins que cela ne soit son abattement silencieux devant la moindre bêtise, sont souvent à l'origine d'un surmoi extrêmement agressif, sadique[54], face auquel le

---

52. L. Szondi, *Triebpathologie. 1. Elemente der exakten Triebpsychologie und Triebpsychiatrie*, Bern, 1952 p. 343.
53. Freud, *Deuil et Mélancolie*, dans *Métapsychologie*, trad. J. Laplanche et J. B. Pontalis, Gallimard, 1968, coll. « Idées », p. 147-174. K. Abraham, *Esquisse...* ; M. Klein, *Contribution à l'étude de la psychogénèse des états maniaco-dépressifs* (1934), dans *Essais de Psychanalyse*, trad. M. Derrida, Payot, 1974, coll. « Science de l'homme », p. 311-340.
54. *SB,* II, p. 184-191.

moi du dépressif se trouve dans une position absolument sans issue. La violence moralisatrice constante, qui permet encore au névrosé obsessionnel de se retirer dans une certaine zone de protestation où il peut affirmer sa propre volonté, provoque chez le dépressif l'effondrement de toute résistance. L'obsédé ressentait sans doute bien tous les reproches qu'on lui faisait comme des mises en accusation, et il se sentait obligé d'en tenir compte extérieurement ; mais en même temps, intérieurement, il continuait à se sentir sûr de son bon droit ; s'il ne pouvait imposer celui-ci, c'était uniquement du fait du pouvoir supérieur de l'autre. Le dépressif, lui, se tient réellement pour coupable, et il considère que tous les autres ont raison, sauf lui. Il est profondément persuadé de ne mériter que la mort.

Il ne lui reste donc pas d'autre solution que l'adaptation totale aux exigences des autres. Cela va souvent si loin qu'il finit par adopter extérieurement les manières joyeuses et gaies de l'hystérique. Mais on ne saurait cependant méconnaître la différence : tandis que lui, dans son désir de mériter de vivre, ne cherche qu'à s'adapter et n'utilise son identification aux souhaits des autres que comme purs moyens de camouflage lui permettant de disparaître, l'hystérique cherche au contraire à paraître, à ce qu'on applaudisse à ses excentricités. Il peut aussi arriver que, dans sa résignation, le dépressif fasse tout pour attirer l'attention des autres ; mais ce n'est vraiment qu'en tout dernier recours, et le plus souvent sous une forme si négative que cela lui vaut, non pas d'y trouver l'aide qu'il en attend, mais une autopunition masochiste.

En particulier, pour la psychanalyse, ce qui caractérise le dépressif, ce sont les refoulements oraux[55], autrement dit l'angoisse latente devant tout ce qui touche à ses propres souhaits ou à ses propres exigences. Son sentiment de faute devant tout le superflu dont il dispose le force à se défaire de toute prétention, donc à se donner comme idéal l'autarcie d'un « perpetuum mobile »[56].

55. O. Fenichel, *Psychoanalytische Neurorenlehre*, t. II, p. 275-276 (voir n. 28).

56. La tendance à l'autarcie est particulièrement sensible chez l'anorexique, cf. H. Thomä, *Anorexia nervosa. Gerchichte, Klinik und Theorien der Pübertätmagersucht*, Bern-Stuttgart, 1961, p. 265-266, cf. *SB* II, p. 144.

Religieusement, le déprimé, dans son aspiration profonde à l'infini, ne peut vivre sans Dieu[57]. Cela ne signifie pas pour autant que sa religion ne pose aucun problème. Interprétés d'une certaine manière, quantité d'appels du christianisme au don de soi total et à l'amour du prochain semblent bien n'avoir d'autre but que de rendre les gens dépressifs, tant ils canonisent unilatéralement la maîtrise de soi et condamnent comme égoïste tout épanouissement personnel. Il faut ajouter que certaines formes de religion ne sont pas immunisées contre le danger de confondre relation à Dieu et fuite du réel ou quête vide d'un tout autre monde.

Guérison par la foi en la justification d'une existence marquée par la finitude.

Ces réserves ne peuvent cependant obscurcir cette donnée de base que seule la religion peut guérir le dépressif de son sentiment de culpabilité, parfois si terrible qu'il passe toute mesure humaine. Sa peur fondamentale d'être déjà coupable du simple fait de vivre ne peut disparaître que s'il découvre au fond de lui-même une force qui le pense et l'accepte dans sa finitude[58]. Du fait de son sentiment extrêmement affiné de l'insignifiance et du néant de tout ce qui n'est pas éternel, il a besoin d'une puissance capable de conférer valeur et importance à ce qui n'est que temporel et limité. Car ce n'est pas d'elle-même que la vie tire son extraordinaire dignité, mais de Dieu : seule cette idée peut le libérer de l'angoisse qui le pousse à rejeter le fini et à devoir être comme Dieu.

Dans la Bible, il n'existe pas de meilleure expression de l'expérience dépressive que le récit du péché originel, tel que le rapporte le Yahviste. Celui-ci raconte comment, en désobéissant à un ordre exprès, les hommes ont commis une faute qui affecte toute leur existence ; ils ne peuvent plus alors se percevoir que comme des nullités vouées à la mort[59]. C'est à juste titre que l'Église y lie sa doctrine de la culpabilité humaine, dogme qui reflète à la perfection la vision du monde du dépressif.

---

57. Riemam, *op. cit.*, cf. n. 17, p. 72.
58. *SB*, III, p. 499-504.
59. *SB*, I, p. 95-96.

À l'opposé, on trouve dans le Nouveau Testament un texte qui illustre fort bien ce qui peut le sauver. Il s'agit du récit de Lc 7 (ou Mc 14) racontant l'histoire d'une femme au nom totalement inconnu, mais fort connue, elle, de tout le village : une pécheresse ! Il est clair que cela en dit suffisamment sur elle. Entendant parler de Jésus, elle veut le voir pour le parfumer. Elle entend ainsi lui manifester toute la tendresse dont elle est capable, car, on le lui a dit et elle en est sûre, lui la comprendra. C'est ainsi qu'elle prépare un flacon de nard et se rend dans la maison du Pharisien dont il est l'hôte. Mais à peine a-t-elle franchi le seuil que tout déraille. Elle n'avait pas pensé à la foule, à tous ces regards qui la condamnent, à cette rumeur qui s'élève. « Se plaçant derrière lui », dit Luc, elle se jeta à ses pieds. Au lieu de lui parfumer la tête, elle éclata en sanglots et lui répandit le flacon sur les pieds. Et, comme pour réparer le dommage, elle se met à dénouer sa chevelure et à les lui essuyer. Mais, aux yeux des témoins, ce geste de désespoir ne fait que l'enfoncer davantage : on ne défait pas ses cheveux en public ; envers un invité, on ne se comporte pas comme une impertinente. Bref, tous ses gestes ne font que montrer surabondamment ce qu'elle est : une putain, une enquiquineuse, une dévergondée, une propre-à-rien ! Seul Jésus la voit sous un autre angle. Lui seul comprend ce qu'elle veut, ce en quoi elle a raison, et ce qui l'a poussée au mal, au péché. Elle cherche désespérément l'amour et, en cela, elle est profonde et authentique. Mais, ce faisant, elle ne fait que se causer du tort, car elle croit ne pouvoir attirer l'attention de l'autre qu'en rampant dans la poussière, devant lui. Aussi longtemps qu'elle se déshonore comme cela, on continuera à la montrer du doigt et à l'exploiter de façon éhontée. Il semble que la pointe de la parole énigmatique de Jésus, celle selon laquelle il lui sera beaucoup pardonné parce qu'elle a beaucoup aimé, revient à lui dire qu'elle peut se redresser sous le regard des autres, qu'elle doit affirmer sa dignité profonde, qu'elle a enfin le droit de penser que Dieu la justifie au plus profond d'elle-même. Bien plus, cette même femme qui vient de se répandre comme son flacon de parfum, celle-là même qui vient de se prosterner par terre, celle qui vient d'éclater en sanglots, a même le droit de penser que, devant Dieu, elle fait meilleure figure que tous les autres.

Telle est l'expérience capitale que le déprimé peut faire du cœur même du labyrinthe de son abattement et de sa résignation : Dieu lui-même lui confère le droit de vivre, et il doit donc cesser de se considérer comme coupable du simple fait d'exister. Sous le regard de son créateur, il peut enfin commencer à croire en sa propre vérité : sa vie est justifiée.

LA SCHIZOÏDIE

Dernière névrose, celle qu'on considère vraiment comme la forme même du désespoir, antithèse classique de la dépression : la schizoïdie. On entend par là une vision de l'existence qui conduit, non plus à se fuir en l'autre, comme le faisait le déprimé, mais à le fuir, lui. Elle se caractérise avant tout par la retenue, et même par l'extraordinaire froideur vis-à-vis d'êtres et de choses que l'on tient à distance, et par l'apparent détachement[60] avec lequel on considère aussi bien ce qui se passe à l'extérieur que ce qu'on vous dit.

Description.

À première vue, le schizoïde frappe déjà par la façon dont il peut évoquer des événements fort graves et fort douloureux de sa vie comme s'il ne s'agissait que de faits anodins dont il aurait été témoin sans y participer intérieurement, cela au point que l'on est sans cesse à se demander ce que cette histoire a bien pu signifier pour lui. Certes, on voit aussi des déprimés faire montre d'un visage souriant pour raconter un événement particulièrement pénible ; mais, à l'inverse du schizoïde, ils ressentent très profondément leur peine et c'est par peur de gêner qu'ils font mine d'être indifférents. En revanche, subjectivement le schizoïde ne ressent vraiment rien ; pour lui, émotionnellement, les événements sont tous également plats : la mort de sa mère ou l'arrivée du printemps. Le dépressif, quand il passe par un stade difficile de sa maladie, se plaint de se sentir intérieurement exsangue, mort, incapable du moindre sentiment, même de douleur. Le schizoïde, lui, vit continuellement dans un monde pétrifié. Quand il parle, il juxtapose ses déclarations de façon impersonnelle, sans ordre, d'une certaine manière sans aucun sens. Et s'il se

---

60. J. H. SCHULTZ, *Grundfragen des Neuroselehre*, p. 293-294.

plaint de quelque chose, c'est en effet que tout lui apparaît froid, étranger, impersonnel, gris, sans signification ; rien ne lui fait plaisir, tout lui est égal ; il ne peut s'intéresser à rien ; il ne sait absolument pas pourquoi il doit être là, à quoi il sert. Tandis que le dépressif souffre d'une présence des autres qu'il ressent comme pesante, le schizoïde vit dans un cadre qui, pour lui, ressemble à celui du château de Kafka[61], un château couvert de neige dans une région perdue, inconnue du monde ; on l'a appelé à une tâche confuse, au milieu d'une foule absurde d'agités qui parlent une langue étrangère, et d'objets incohérents. Il reste « étranger » même vis-à-vis de son propre corps, dans ses meubles, dans sa chambre. S'il lui faut traduire ce qu'il ressent, il pourrait dire : « Quand j'écris, je vois ma main sur la table, glissant sur le papier ; elle forme des caractères et écrit des phrases ; je vois la flaque de lumière que la lampe de table laisse tomber sur elle. Mais je dois me pincer le bras pour m'assurer que c'est bien moi qui suis là. »

Le schizoïde ressent ses propres perceptions comme à distance ; ce qui forme un tout ne lui apparaît que comme une juxtaposition ; certains détails apparaissent monstrueux, tandis que d'autres s'estompent. Ce qui lui semble le plus effrayant, c'est la gratuité de tout, et cela, alors même qu'il y cherche un peu de sécurité, qu'il aimerait même y trouver un appui rendant l'existence supportable. Le fait de pouvoir dire de quelque chose que cela lui est égal le martyrise et le soulage à la fois, car, de fait, il s'en trouve en même temps emprisonné et protégé.

Ce qui pèse le plus sur lui, c'est surtout le caractère vide et creux des choses : tout lui semble ennuyeux, sans attrait, indifférent. Tout comme l'hystérique, avec lequel il a beaucoup en commun, il peut jouer des rôles très différents : c'est en virtuose qu'il peut changer du tout au tout d'attitude au cours d'une même journée. Intérieurement insatisfait, comme l'hystérique, il ressent cependant cette insatisfaction de façon très différente : il ne reçoit les applaudissements des autres qu'en les dénigrant avec une nonchalance railleuse. Dans son jeu, l'hystérique cherche à séduire la foule ? Lui, le schizoïde, ne joue de rôle que pour la fuir ; il ne multiplie les masques

61. Franz KAFKA, *Le Château* ; trad. A. Vialatte, Gallimard, 1965 (en particulier l'introduction du chap. I).

que pour restreindre la possibilité de se sentir encore moins concerné. Semblable à un James Bond, il se trouve sans cesse plongé dans un monde d'ennemis dans lequel seule une méfiance continuelle lui permet de survivre, de telle sorte qu'il doit toujours rester en garde, même vis-à-vis des « amis ». C'est avec un charme affecté qu'il peut par exemple se faire garçon de café, ce qui lui permet de plaire aux autres tout en restant à distance, à condition toutefois que les gens restent eux-mêmes à distance, sans participation et sans engagement. Naturellement, cette façon totalement froide de raisonner présente pour lui un énorme avantage. Dans son premier roman, *L'Étranger*, Albert Camus a parfaitement tracé le portrait d'un schizoïde de ce genre[62]. Au début du roman, le héros assiste à l'enterrement de sa mère sans aucunement y prendre part intérieurement. Puis il se lance dans un flirt totalement impersonnel, engage des conversations parfaitement superficielles avec ses voisins. Par complaisance, ou plus exactement pour éviter toute contrariété, il finit par se trouver impliqué dans un meurtre qui n'aurait certainement pas eu lieu si – à la lettre – le soleil n'avait pas tant brillé ce jour-là. Il est exécuté, sans qu'on sache finalement si c'est juste ou injuste. Question qui reflète typiquement l'expérience interne du schizoïde, car – et en cela il ressemble encore à l'hystérique, toujours en train de minimiser sa responsabilité – il reste constamment étranger à tout sentiment de culpabilité, alors même que, profondément, et du fond de tout son être, il perçoit l'autre, et se perçoit finalement lui-même, comme coupable, ceci du simple fait qu'il ne parvient jamais à vivre vraiment.

Genèse.

Pour la psychanalyse, les facteurs psychogénétiques de la schizoïdie sont déjà à l'œuvre dès les premiers jours ou dès les premières semaines de la vie. Ils consistent essentiellement en ce manque d'amour que le schizoïde ne cessera d'éprouver à nouveau par la suite[63]. Son enfance est émotion-

---

62. A. CAMUS, *L'Étranger*, Gallimard, 1957.
63. Voir R. A. SPITZ-W. G. COBLINER, *De la naissance à la parole*, trad. L. Flournoy, Presses universitaires de France, 1968.

nellement froide, sans relation. Il grandit sans affection, et ses contacts immédiats avec son entourage sont toujours marqués de mauvaise humeur, comme ceux des malades d'hôpitaux. Dans la mesure où les gens lui paraissent infiniment lointains, les choses se mettent elles-mêmes à distance. Son activité imaginative et intellectuelle n'en devient que plus vivante. Sa méconnaissance de la réalité des autres lui ouvre un espace de liberté particulièrement propice à toutes les projections[64] et à toutes les fantaisies, et il sait en parer son entourage. Il n'est pas rare que sa carence objective de relation lui permette de se faire une idée fantasmatique de l'autre, espion secret, complice, anarchiste, etc. Lorsque de telles projections débouchent sur une véritable psychose, il en arrive à des idées paranoïaques de persécution ; enchaînant alors des raisons apparemment fort rationnelles (et, s'il est intelligent, il n'est jamais en peine d'en trouver), il sombre dans un véritable délire. Il se perçoit alors souvent au centre secret d'un monde chaotique à l'étreinte duquel il échappe grâce à l'aide de rayons ou de moyens invisibles. Il est clair que de telles divagations reflètent le plus souvent les situations réelles qui furent les siennes pendant son enfance, alors que, dans son rêve de toute-puissance enfantine, il se trouvait livré sans défense à la réalité.

Une foi qui guérit en mettant fin au mythe du moi.

C'est ici qu'on peut percevoir la relation qui existe entre la schizoïdie et son arrière-plan religieux. Le schizoïde succombe, lui aussi, au désir désespéré de vouloir être comme Dieu. C'est uniquement pour Dieu en effet que la pure pensée peut de soi être créatrice. Mais, en s'aveuglant largement sur la réalité, le schizoïde est de plus en plus poussé à y substituer sa propre pensée, sa conscience. Il est en tout cas progressivement conduit à ne considérer son entourage que d'un point de vue parfaitement égocentrique et, ce faisant, à se poser comme le moi absolu de Fichte[65] qui se gonfle aux dimen-

---

64. M. KLEIN, « Notes sur quelques mécanismes schizoïdes », dans *Développements de la psychanalyse* (coll.), Presses universitaires de France, 1966.
65. J. G. FICHTE, *Doctrine de la science* (1794-1797) ; trad. A. Philonenko, Vrin, 1972.

sions du Seigneur créateur de l'univers. Ce qui n'empêche en rien, ce qui favorise même le fait que, en dépit de cette *ipséité*, le schizoïde soit finalement dépourvu de tout moi[66] : il fuit toujours plus loin dans un perpétuel jeu de rôles ou de poncifs, à moins de s'enfoncer dans une orgie purement imaginaire. Au fond, il ne croit à rien de ce qui n'est pas lui. C'est bien pourquoi il reste enfermé en lui-même, tous les autres lui restant étrangers. Et le même qui veut se faire son propre Dieu et consacrer toute sa vie à se rendre à lui-même un culte narcissique se trouve en même temps constamment soumis à la pression du monde qui l'assiège, d'où sa fragmentation de plus en plus poussée.

Dans la Bible, il y a une scène qui décrit parfaitement le lien qui existe entre la perte de Dieu et la schizoïdie. En son tout début, elle raconte comment, au lendemain de sa rupture avec Dieu, l'homme se découvre étranger, banni dans un monde qui était auparavant un paradis pour lui : les animaux se dressent contre lui, et la terre se défend contre son travail (Gn 3)[67]. Effectivement, l'univers ne peut plus lui apparaître qu'« étrangère », au sens absolu du terme, à partir du moment où elle n'est plus créée pour lui, par un Dieu fondamentalement personnel qui le veut aussi, lui, l'homme. À partir du moment où Dieu, père et créateur, s'efface derrière l'indifférence infinie de la nature, il est parfaitement exact qu'il se trouve radicalement sans demeure sur cette terre. Seule la présence d'une bonté infinie à l'arrière-plan et au cœur des choses peut lui éviter de se dresser en schizoïde angoissé, face au monde.

L'histoire des religions permet, elle aussi, de rendre compte de cet état de choses. Tant qu'ils n'avaient pas découvert le Dieu de la Bible, les hommes recouraient à des mythes où les dieux, dans leur désunion, se partageaient l'empire des humains. Ces figures divines n'étaient en réalité que les personnifications des forces de la nature et les projections des forces psychiques, et l'homme s'y trouvait livré sans recours[68].

Effectivement, si on veut comprendre psychologiquement le monde des mythes, il est indispensable de se pencher sur

---

66. S. Kierkegaard *La Maladie à la mort*, p. 219-220.
67. Voir *SB*, I, p. 92-93 ; II, p. 232-235 ; III, p. 241-245.
68. *SB*, III. p. xxxiii-xxxvi.

ceux du schizoïde. Qui méconnaît Dieu, qui n'a donc pas pris conscience de sa signification éternelle et de sa vocation, se trouve immanquablement confronté aux choses à la façon d'un primitif complètement apeuré devant un environnement qui le menace et le domine. « De quoi exactement avez-vous peur ? » demande un personnage d'une nouvelle de Tchekhov. Ce à quoi l'autre lui répond : « De tout. Je suis, de nature, superficiel et m'intéresse peu aux problèmes comme ceux de l'au-delà, du sort de l'humanité, et je m'envole rarement vers les hauteurs célestes. Ce qui m'effraie surtout, c'est le train-train de la vie quotidienne auquel nul d'entre nous ne peut se soustraire. » C'est bien ainsi que tout est lié : on doit bien craindre le quotidien, précisément en raison du manque de perspective plus haute sur la vie. L'angoisse est ce qui définit fondamentalement une existence qui, dans sa schizoïdie, se trouve finalement étrangère à elle-même, incapable de se comprendre elle-même. Tchekhov continue : « Je vois que nous ne savons que peu de choses, et c'est pourquoi chaque jour nous commettons des erreurs, des injustices, nous calomnions, nous faisons à autrui la vie impossible, nous gaspillons nos forces à des bêtises qui ne nous servent à rien et nous empêchent de vivre, et si je suis en proie à une telle terreur, c'est que je ne comprends pas à quoi et à qui cela est nécessaire[69]. »

Comparaison entre la dépression et la schizoïdie.

C'est ainsi que se boucle le cercle : pour guérir, le schizoïde a quelque chose à apprendre du dépressif, et inversement. Ce dernier ferait bien de prendre un peu de la distance et de l'apparente sérénité que donne au premier son sentiment de « finitude », et en retour celui-ci devrait bien emprunter à l'autre un peu de sa chaleur et de son « infinitude ». Mais tous deux ne peuvent se découvrir complémentaires qu'en prenant conscience d'un Dieu qui dépasse infiniment le fini et qui, en vertu de son infini, reconduit chacun aux limites de son devoir quotidien. Seule la foi en ce Dieu permet de faire la synthèse de l'existence, et seule elle permet d'échapper à la vision bornée qui naît de l'angoisse et qui, en retour, porte celle-ci à son paroxysme.

69. Anton TCHEKHOV, *L'Angoisse* (1892) ; *Œuvres complètes*, Gallimard, 1970, « Bibl. de la Pléiade », t. I, p. 106.

LA THÉORIE DE LA NÉVROSE,
PHÉNOMÉNOLOGIE THÉOLOGIQUE DU PÉCHÉ

C'est ainsi que les quatre formes de névrose de la psychanalyse ne nous apparaissent plus simplement comme les produits de certains troubles enfantins, et que les maladies psychiques ne sont plus de simples déformations aberrantes de l'humain. C'est désormais clair : elles ne font que refléter des conflits qui touchent à la globalité de l'existence humaine et à la liberté, qui leur sont même inhérents. On voit en même temps que ces conflits fondamentaux tournent autour d'une question centrale, celle de savoir comment l'homme se situe face à Dieu. Tout revient finalement à cela. C'est en le comprenant qu'on peut voir comment les névroses de la psychanalyse sont les formes nécessaires d'une existence qui, parce qu'elle est coupée de Dieu, se rétrécit à une seule de ses dimensions. Dans la mesure où on découvre dans la théorie psychanalytique des névroses une véritable phénoménologie théologique du « péché »[70], d'un péché qui se définit par une chute dans le désespoir consécutif au caractère radicalement impitoyable d'une vie coupée de Dieu, il devient possible de résorber l'abîme qui séparait précédemment théologie et psychothérapie : à l'encontre de la description superficiellement moralisante de ce « péché », la psychanalyse initie la théologie à une réalité existentielle qui lui permet de redécouvrir et de réactiver la force salvatrice de la foi. Car si le Christ envoyait ses premiers disciples « guérir les malades, ressusciter les morts, purifier les lépreux et expulser les démons » (Mt 10, 8), c'est bien parce qu'il reconnaissait lui-même dans la maladie, la mort et la lèpre des manifestations de l'éloignement de Dieu et de la déréliction humaine. C'est exactement de cette façon que la théologie doit retrouver son discours sur le péché et sur la grâce : il lui faut comprendre que la foi ne fait qu'un avec la guérison de l'homme, et que le malheur de l'existence se décide finalement à partir de la position que prend l'homme face à Dieu.

Pour achever cette réflexion fondée sur la théorie générale des névroses, resterait encore à discuter des formes particulières que peuvent prendre leurs symptômes. Il faudrait pour

---

70. *SB*, III, p. xix-xxxi ; 414 ; 419.

cela montrer comment les quatre formes chimiquement pures
que nous avons présentées peuvent faire place à des versions
mixtes beaucoup plus complexes. Il arrive certes parfois
qu'on en trouve « de pure souche », mais ce n'est que rarement le cas. Il arrive en particulier que les paires opposées se
croisent, de telle sorte qu'on peut parler de structures mixtes
de schizoïdie dépressive ou d'hystérie de névrose obsessionnelle, mais également de dépression ou de schizoïdie névrotiques obsessionnelles. Seule combinaison à peu près totalement exclue : celle de la dépression et de l'hystérie (qu'y
aurait-il de plus difficile à s'imaginer qu'une personne à la
fois dépressive et hystérique ?). De même, celle de la schizoïdie et de l'hystérie reste fort rare, soit que celle-ci possède
déjà son annexe schizoïde qui, par osmose, interfère déjà avec
l'hystérie, autrement dit qui en constitue une prolongation,
soit que la schizoïdie soit si profondément inviscérée que les
relations objectales, telles qu'on les trouve dans l'hystérie, en
sont réduites à rien. À plus forte raison cet exposé doit-il
naturellement laisser totalement de côté ce qui constitue
l'image inversée de la névrose : la perversion. Il est cependant clair que prolonger ce sujet ne nous obligerait en rien à
changer notre façon d'accorder la théologie et de la psychanalyse.

4

Psychothérapie
et pastorale

La relation entre la psychanalyse et la théologie n'est pas ce qu'elle devrait être. En montrant l'unité originelle profonde qui existe entre le souci de la psyché de l'homme et celui de son âme, j'ai nécessairement fait ressortir la dissonance, tant théorique que pratique, qui existe actuellement entre la psychothérapie et la pastorale : elle ne peut que provoquer des souffrances et elle entrave la guérison de la plupart d'entre elles.

L'UNITÉ ESSENTIELLE DE LA PSYCHOTHÉRAPIE
ET DE LA PASTORALE

En envoyant ses disciples en mission, Jésus leur confia la charge d'imposer les mains sur les malades, de chasser les démons et de leur annoncer que le Royaume de Dieu était proche (Lc 9, 2 ; Mt 10, 7-8 ; Mc 16, 17-18). Si je comprends bien le sens de cet ordre, il définit ce qui devrait être la tâche commune de la psychothérapie et de la pastorale.

Ce qui compte, c'est de créer un lieu de refuge, de protection, d'accueil sans retenue. Il s'agit d'imposer les mains à l'autre, non pour peser sur lui, mais pour lui faire sentir que nous le prenons sous notre garde ; et le « traitement » ne consisterait qu'à faire prendre conscience au malade de cette main posée, qui vient l'accueillir et le protéger tel qu'il se donne. Suivant la parole même de Jésus, une telle « imposition des mains » aurait finalement pour but et pour effet de mettre fin à la « possession », autrement dit à la dispersion de la pensée, aux automatismes, aux conditionnements du dressage, aux complexes les plus évidents, aux comportements stéréotypés, bref, à tout ce qui aliène le moi, à tout ce qui le bloque, à tout ce qui l'empêche d'emblée de penser et de vouloir, à tout ce qu'il ressent finalement comme une présence d'étrangers toujours là à l'épier, à le critiquer, à se moquer de lui, à censurer son moindre écart, à le dérouter par leurs commentaires à contretemps. Quand il se trouve ainsi livré aux autres, le moi n'éprouve ni angoisse ni sentiment de culpabilité : il se sent seulement parfaitement abandonné, comme lorsque, sur le seuil d'une grange aux battants grands ouverts sur l'extérieur, on perçoit soudain avec une force jusque-là inconnue sons, odeurs, lumières, et que, derrière chacune de ces perceptions, on soupçonne un sens caché : brutale impression de se voir l'intérieur étalé à l'extérieur comme un objet, d'être soudain comme physiquement court-circuité, branché sur un réseau électrique, saisi dans un programme d'ordinateur, vidé de ses propres idées, flottant au gré de l'avis des autres ; et, tout autour, des gens désintégrés à travers lesquels parlent des voix lointaines, comme si, n'étant pas eux-mêmes, ils étaient parfaitement interchangeables avec d'autres, connus ou inconnus. À la question : « Quel est ton nom ? », on pourrait alors répondre comme le possédé de Gerasa (Mc 5, 1-20) : « Nous sommes légion », pléthore de forces d'occupation étrangère, qui quadrillent systématiquement le terrain de la psyché en fonction d'un programme bien déterminé, à partir d'ordres d'origine inconnue. Si telle est bien la situation que désigne le « démoniaque », nul autre moyen de s'y opposer qu'une « imposition des mains » ; elle seule pourra permettre à la personne de retrouver soudain force, assurance, sentiment de sa valeur, au point de réapprendre à poser ses limites, autrement dit de s'imposer elle-même et de réintégrer en sa propre personne tout ce qui n'apparaissait auparavant qu'étranger et extérieur.

Ce n'est qu'après avoir fait cela que Jésus pense possible de proclamer le sens de la guérison : « Le Royaume de Dieu est proche. » Quand quelqu'un a été rendu à lui-même et s'est retrouvé, il sentira de lui-même la force divine qu'il peut avoir en lui. Jusque-là, il n'avait peut-être entendu parler de « Dieu » qu'en termes notionnels chargés de toutes les connotations hostiles, négatives et oppressantes retransmises par le père ou la mère, au nom d'une sécurité conformiste, ou d'une Église bien rangée avant tout soucieuse de perpétuer cette aliénation. Mais voici désormais qu'un autre, en lui « imposant les mains », en le « traitant », lui donne de sentir qu'il a sa propre vie en lui. Ayant appris à se distinguer et à se délimiter par rapport aux autres, il peut enfin comprendre que son existence est justifiée ; et ce qui n'était jusque-là que sentiment psychotique se réaccorde soudain ; à travers l'autre, c'est en vérité alors une autre personne qui parle, une personne jusque-là étrangère, supérieure. Elle dit oui à notre moi ; elle le veut. Elle se tient à l'arrière-plan de tout ; mais elle est en même temps l'origine essentielle qui porte aussi bien le psychothérapeute que le pasteur. Consultations thérapeutiques et pastorales ne sont que les intermédiaires d'une bonne nouvelle ; instruments de la grâce, d'une réalité absolue qui, à travers elles, prend forme et efficace. Cette réalité, on la découvre proche de soi quand on s'est approché de soi-même. Auparavant, on avait fort bien pu chercher à servir « Dieu » en se conformant aux prescriptions du surmoi ; mais l'impitoyable rigidité avec laquelle on se comportait alors envers soi-même comme envers les autres, la continuelle inclination à juger, à dénigrer, à refuser comme « impossible » ce qui surgissait tant en soi qu'en l'autre, l'impénitence angoisse narcissique qui n'autorisait d'accord qu'avec la « conscience » sans en réalité jamais aider personne, l'absence totale de liberté et de compassion, et le continuel sentiment d'infériorité constituaient autant de signes évidents qu'il ne pouvait être vraiment question de Dieu.

Mais si on prend le mot « possédé » en ce sens, qui ne l'est ? Qui peut s'appartenir au point de pouvoir affirmer que ses sentiments et ses impulsions jaillissent librement du plus profond de sa personne ? Qui arrive jamais à s'adapter suffisamment aux circonstances et à négocier avec les ukases de son surmoi tout en sachant au besoin le juger et le redresser ? Qui n'a besoin d'une « imposition des mains », capable de chasser les démons et de permettre une découverte de soi-même identique à celle de Dieu, une découverte de soi qui serait l'effet de celle de la proximité de Dieu et, inversement, une découverte de la proximité de Dieu qui serait l'effet de celle de soi, véritable condition préalable à tout discours authentique sur lui ?

AU CŒUR DU MONDE, LA SOUFFRANCE DE L'ANGOISSE
ET LE SALUT PAR LA CONFIANCE

Ce n'est que dans la mesure où l'unité avec soi-même et celle avec Dieu sont indissociables que le Nouveau Testament peut affirmer le lien immédiat et essentiel entre le règne de Dieu et les guérisons « miraculeuses ».

La vieille dogmatique affirmait que, dans le paradis, au début de la création, l'homme, pourvu de certaines grâces préternaturelles, échappait à la maladie, et que seule la faute était à l'origine de ses souffrances corporelles et de sa mort. La paléontologie et la préhistoire ont suscité quelque gêne en la matière, ce qui a conduit désormais à passer sous silence une idée qui n'était certes pas « doctrine commune », mais qu'on n'en avait pas moins fini par considérer en fait comme de doctrine[1] : comment s'imaginer que les caries dentaires des dinosaures auraient été dues à un Adam quelconque qui, trois cents millions d'années plus tard, aurait mangé du fruit défendu dans le jardin de ce monde ? En revanche, si on comprenait symboliquement et intérieurement *ces* vieilles images du récit yahviste, ce qu'on devrait faire au lieu de ne les prendre que de façon purement extérieure et grossière, il deviendrait à jamais impossible de n'y voir qu'histoires ridicules. De fait, la psychanalyse aussi bien que la médecine psychosomatique nous ont conduits à voir que nombre de maladies organiques, non moins que les névroses et que la plupart des « cas » de psychiatrie, n'ont qu'une seule et même origine : l'angoisse humaine et la défense désespérée qu'on tente de lui opposer.

C'est en recourant au symbole archétypique du serpent, du gouffre béant sous-jacent à la réalité créée, que le Yahviste présente l'expérience vécue de l'angoisse fondamentale de l'existence. Selon sa description, il n'existe qu'un remède à cette angoisse : il consiste à garder confiance en la puissance

---

1. J. BRINTKINE, *Die Lehre der Schöpfung*, Paderborn, 1956, p. 292-294.

qui surplombe celle de l'abîme et le néant de la créature, celle qui constitue le fondement et l'appui de tout ce qui existe. C'est parce qu'ils sont sous l'empire de l'angoisse que les hommes perçoivent le monde comme étranger et hostile. Ils commencent alors à avoir honte d'eux-mêmes sous le regard des autres. Enfants d'Ève chassés et bannis du paradis, ils doivent désormais lutter jusqu'à l'épuisement contre la mort, ultime vérité d'une existence née de la poussière et retournant à la poussière, d'une existence maudite de Dieu et qu'ils ne peuvent que maudire eux-mêmes[2]. C'est pourtant bien à tort que la vie nous apparaît ainsi marquée du sceau de l'angoisse et étrangère à elle-même. C'est pourquoi, en accord avec les récits primitifs des peuples antiques, l'auteur que nous appelons le Yahviste a commencé sa description de la condition humaine par l'histoire du paradis : de par son origine, l'homme aurait pu vivre dans la confiance ; pour cela, à l'égocentrisme de son angoisse, il lui aurait fallu opposer la certitude qu'au milieu du jardin existait un « arbre », au sens symbolique, ou, en d'autres termes, que le monde possédait un axe reliant la terre au ciel et à partir duquel le monde pouvait s'ordonner selon les quatre points cardinaux. Vivre à partir de ce centre suffit à exclure tout ce que nous mettons en lien avec la maladie et la mort.

Si en revanche la mort ne fait que montrer combien la vie, désormais parvenue à son terme, a été finalement vide et sans valeur, si la maladie, son signe avant-coureur, ne fait que prouver le caractère aléatoire, inutile et insupportable du simple fait de vivre, nul doute qu'elle n'apparaisse comme une malédiction divine. La maladie devient alors la punition d'une existence désaxée, à la lettre « excentrée » par l'angoisse et donc de soi vouée à l'échec. Mais vivre de l'« arbre du milieu du jardin » signifie se sentir à l'abri de l'angoisse : l'homme peut voir la terre comme un jardin où Dieu l'a lui-même installé. La mort n'est plus alors qu'une réalité inhérente à la vie, et celle-ci cesse d'être combat perpétuel contre une absurde prétention à échapper au cycle des vivants.

C'est parce que l'angoisse est à la racine de toutes les maladies psychiques qu'on peut comprendre comment, dans le Nouveau Testament, la foi est force de guérison.

---

2. En ce qui concerne l'interprétation du récit yahviste des origines et de la chute, voir *SB*, I, p. 53-106 et, p. 356-413 : « Le don de la vie et l'image du monde et de l'homme dans le récit yahviste du paradis. »

LE MÉDECIN DIVIN

L'exégèse du Nouveau Testament n'a fort souvent vu dans les récits de guérisons miraculeuses que les signes d'une survivance de la mentalité magique : la foi à laquelle elles font appel n'aurait rien de spécifiquement chrétien[3]. Mais qu'en est-il si la force salvatrice du phénomène chrétien réside justement dans sa capacité d'exorciser la peur qui écartèle l'homme et d'articuler du plus profond de son malheur ce dont tout un chacun a besoin pour vivre ? Qu'en est-il si la divinité du Christ et de tous les sauveurs divins ne se manifeste précisément qu'en sa capacité de susciter chez les gens une telle confiance qu'elle calme à sa racine leur angoisse de vivre et leur donne le sentiment d'être enfin eux-mêmes pleinement acceptés ? Les nausées de la psyché sont alors ramenées à la juste mesure de leur objet ! La foi qui guérit est une réalité aussi universelle que la détresse humaine, et tout homme est appelé à redécouvrir le paradis de sa propre vie. C'est pourquoi la foi, et précisément celle des guérisons miraculeuses, ne saurait être qu'une foi accessible à tous, et c'est d'elle dont tout le monde a besoin.

Les sacrements de l'Église cherchent eux aussi à réouvrir le chemin du paradis, celui que barre le séraphin au glaive de feu. À l'encontre de l'angoisse, ils sont les symboles d'une vie de confiance perdue et retrouvée ; et seuls les hommes qui ont découvert au fond d'eux-mêmes comment la vision de foi permet de surmonter tout ce qu'il y a de malsain et de mortifère en eux deviennent capables d'agir en prêtres guérisseurs, en médecins divins. Leur foi procède de la victoire qu'ils ont emportée sur leur propre peur ; leur force salvatrice vient de l'intelligence avec laquelle ils ont intégré la violence qui aurait pu les détruire, et leur vérité résulte de la démystification de leurs propres mensonges ; car jamais personne ne peut aider quelqu'un sans qu'il ait eu d'abord à réapprendre la confiance au lieu de la peur.

Les légendes grecques sont ici parlantes. L'une d'elles raconte que Pythagore, le héros et demi-dieu grec, fondateur de religion, fut mordu par un serpent ; il ne survécut qu'en mordant à son tour le monstre et en le faisant ainsi périr par

---

3. M. DIBELIUS, *Die Formgeschichte des Evangeliums* (1919) 4e éd., 1961, p. 93-94.

son propre poison[4] : insondable symbole de ce que nous appelons « psychothérapie » et « pastorale » ! Faut-il interpréter ce récit ? Paralysé par la décharge de l'angoisse, mort de peur, Pythagore trouve la force de l'emporter sur ce qui le tue. Ainsi seul celui qui a appris dans sa propre chair à ne plus ressentir d'effroi devant les poisons mortifères, sans pour autant les écarter ou les refouler, peut par la suite aider les autres à se défaire eux aussi de ce qui leur empoisonne le cœur.

Plus clair encore : Empédocle, disciple de Pythagore, divin guérisseur de milliers de malades, aurait dit qu'il était venu en ce monde en punition d'un meurtre et d'un parjure commis au cours d'une vie précédente[5]. Lui, dont l'art céleste aurait reconduit les autres à la vérité, aurait expié sa propre inauthenticité ; lui, le sauveur des autres, aurait mis sa propre force de mort au service de la vie.

Troisième exemple : celui de Chiron, le centaure, mortellement blessé par une flèche décochée par Apollon. On raconte que, véritable agneau de dieu grec, il aurait emporté sa blessure dans l'Hadès, mais aurait en même temps guéri les autres en leur faisant prendre conscience de leur propre blessure[6].

Il n'est de guérison qui ne soit victoire de ce genre sur la maladie et la mort. Mais nul ne peut l'obtenir sans avoir découvert dans sa vie la grâce capable de l'emporter sur la peur.

LA FORCE SALVATRICE DES SONGES DU CENTRE DU MONDE

C'est à un merveilleux guérisseur, Cerf-Noir, shaman des Sioux Ogalla, que nous devons un récit autobiographique décrivant comment il reçut la vocation d'intervenir dans sa tribu, à la fois comme prêtre et comme médecin, comme psychothérapeute et comme pasteur, les deux choses ne faisant originellement qu'une. Il faut ici redonner son récit, parce qu'il constitue un document saisissant à la fois d'humanité et de piété.

4. W. SCHADEWALT, *Die Anfänge der Philosophie bei den Griechen. Die Vorsokratiker und ihre Vorausseztungen (Tübingen Vorlesungen*, I), éd. I. Schudoma, Francfort, 1978, p. 273.

5. H. DIELS, *Die Fragmente der Vorsokratiker*, Francfort, 8e éd., 1957, p. 69, fragm. 115.

6. K. KERÉNYI, *Der Göttliche Arzt. Studien über Asklepios und seine Kultusstätten*, Darmstadt, 1975, p. 96-100.

Encore enfant, à l'âge de neuf ans, il eut un songe. Il voyait toute la terre et, au milieu, sa tribu rassemblée avec l'humanité tout entière autour d'un arbre fleuri dont on lui confia l'entretien, à lui, le voyant, en lui donnant la force nécessaire pour guérir et la sagesse pour enseigner. Le vieux shaman décrit la suite de son rêve : « C'est ainsi que je saisis le bâton rouge feu et que je le fichais en terre, au milieu du cercle de la tribu. Quand il toucha le sol, il se mit à s'agiter violemment dans ma main et il se transforma en *Uagatschun*, en arbre froufroutant[7] avec un grand nombre de branches feuillues et d'oiseaux qui chantaient. Sous lui, tous les animaux et les hommes, tous avec leurs parents ; et tous poussaient des cris de joie. Les femmes lançaient leurs trilles et les hommes hurlaient : « C'est ici que nous élèverons nos enfants et nous serons comme des poussins sous les ailes de la mère Sheos[8]. » Dans son rêve, Cerf-Noir voit toute la terre en dessous de lui, et il découvre ainsi l'homogénéité et l'unité de tout ce qui existe. Car, dit-il, « pendant que j'étais là, je vis plus que je ne saurais en dire et je compris plus que je n'en vis. Car, saintement ravi en esprit, je perçus les formes de toutes choses et la forme de toutes les formes, et la façon dont elles doivent coexister comme *un seul être*. Je m'aperçus que le cercle saint de ma tribu n'était qu'un parmi d'autres qui ne formaient eux-mêmes qu'un cercle, aussi large que la lumière du jour et des étoiles. Au milieu grandissait l'arbre aux fleurs luxuriantes qui protégeait tous les enfants d'une seule mère et d'un seul père. Et je compris que tout cela était saint[9] ».

Voilà ce que signifie vivre au milieu du monde, sous l'arbre de la vie situé au centre du jardin. Se conformer à cette vision, c'est voir le monde à partir de son cœur, c'est reconnaître l'unité de tout le réel. C'est là la vocation du guérisseur divin.

Cerf-Noir garda longtemps le secret de ce qu'il avait vu. Mais, à dix-sept ans, il sentit une chape d'angoisse tomber sur lui, et il resta des journées entières plongé dans un sommeil de mort. Un nouveau rêve lui fit découvrir l'impossibilité de reculer davantage le moment de son intervention publique. Partant de son expérience d'angoisse et de sa vision, il institua alors un rituel de guérison qui, en reprenant son rêve, fit

7. *Uagatschin*, touffe de cotonnier (NDR).
8. *Sheos*, poule des prairies (NDR).
9. Cerf-Noir (Black Elk), *Black Elk speaks*, éd. J. Neihardt, New York, 1932.

de lui le médecin, le prêtre, le shaman de sa tribu. Par la suite, chaque fois qu'il voudra guérir un malade, il l'initiera rituellement à son propre rêve d'enfant, lui enseignant ainsi le chemin qui l'avait lui-même conduit à l'arbre sacré, au milieu du monde. Comme tout médecin divin, Cerf-Noir ne disposait finalement d'aucun autre moyen de guérir que de sa propre personne et de l'expérience sacrée faite au cours de son rêve. « Grand Père, Grand Esprit », dit-il dans sa prière, la première fois qu'il est appelé auprès d'un enfant malade, « tu es le seul, et aucune voix ne saurait atteindre personne d'autre. On dit que tu as tout créé et que tu as tout fait bon et beau. Là où le soleil se couche, tu as aussi suscité une force. Sur terre, les bipèdes sont dans le désespoir. Pour eux, Grand Père, j'envoie vers toi ma voix. Tu m'as parlé ainsi : les faibles marcheront. En vision, tu m'as conduit au milieu du monde et, là, tu m'as montré la force du sacrifice. Tu m'as donné l'eau dans la coupe. Par ta force, le mourant revivra. Voici que le faible se redressera par la force de l'herbe que tu m'as montrée. De la direction vers laquelle nous tournons toujours notre regard (le sud), une vierge apparaîtra ; elle s'engagera sur la bonne route, et sur son chemin elle tendra la flûte ; elle possède aussi la force du bâton fleurissant. De la direction où habite le géant (le nord), voici que tu me purifies de ton souffle sacré ; et partout où ce souffle passe, voici que les faibles obtiennent la force. Voilà ce que tu m'as dit. Vers toi, vers toutes tes puissances, vers la terre-mère, j'envoie mon appel à l'aide. »

Une fois cette prière terminée, Cerf-Noir se tourne vers les trois autres points cardinaux avant d'en revenir au sud « où se tient la source de toute vie et où commence le bon chemin rouge ». Il chante alors un cantique qui crée un lien entre la vision de son rêve et le cas à traiter : « Saintement, je les fais aller. Voici qu'un peuple saint gît à terre. Saintement je les fais aller. Un saint bipède languit. Saintement il s'en ira. » « Et pendant que je faisais cela, poursuit-il, je ressentais quelque chose d'étrange dans tout le corps, quelque chose qui éveillait en moi le désir de pleurer sur toutes les créatures malheureuses ; les pleurs coulaient de mon visage. » Sentiment de compassion universelle qu'on trouve aussi dans le Nouveau Testament, dans les récits de guérison. Mc 1, 41, raconte par exemple qu'à la vue du lépreux qui tombe à ses genoux, Jésus est saisi de compassion.

Ainsi la guérison n'est-elle originellement rien d'autre qu'un retour au centre, un recueillement du cœur en ce lieu d'où le monde croît et où le ciel se fait tout proche de la terre, un acte à travers lequel celui qui guérit introduit celui qu'il guérit à la vision des choses qu'il a lui-même arraché à son angoisse et à sa maladie. Il consiste à partager un rêve fondé sur une confiance absolue.

LE DUALISME DE FAIT DE LA THÉOLOGIE ET DE LA PSYCHANALYSE

Si les choses se passaient ainsi, chaque prêtre serait thérapeute et chaque thérapeute serait prêtre. C'est bien ce qui devrait être. C'est ce que Jésus invitait ses disciples à devenir. C'est sur cet héritage que se fonde l'Église.

Mais ce n'est pas du tout ce qui se passe, et ce ne peut d'ailleurs l'être.

LE COMBAT DE L'ÉGLISE CONTRE L'INCONSCIENT

Toute la tradition de la pensée occidentale, celle qu'a essentiellement promue le christianisme, semble au contraire se résumer en une tentative grandiose et de plus en plus poussée pour dissocier et séparer ce qui était intérieurement un : conscient et inconscient, raison et sentiment, tête et cœur, sacerdoce et médecine, sanctification et guérison. Bref, elle a divisé l'homme lui-même à un point tel qu'on ne voit plus comment il serait encore possible de le guérir.

Il n'est pas facile d'expliquer ce qui a conduit à cet état des choses. On en trouve une première raison aux origines mêmes du christianisme. Depuis sa naissance, au nom de son Évangile, celui-ci s'est efforcé d'étouffer les mythes païens en les démonisant. Il ne pouvait totalement ignorer que leur dévaluation le conduisait à déclarer aussi démoniaques les forces créatrices qui les avaient suscités[10]. Ce qui n'était au début que combat contre le paganisme se révéla de plus en plus lutte contre l'humain, contre les images archétypales de

10. *SB*, III, p. 514-533 : « L'Opposition du christianisme aux mythes, la lutte interconfessionnelle et la déchirure interne de l'homme. »

l'inconscient ; et on en arriva bientôt à croire que la meilleure façon de servir Dieu était de se dresser de toutes les forces de sa personnalité sur les décombres des impulsions instinctives, à la façon de colonnes sacrées dominant l'obscur terreau maternel. Il est caractéristique de voir comment les quatre premiers siècles du christianisme ont utilisé la distinction philosophique entre personne et nature : on considéra de plus en plus comme du devoir du croyant, non seulement de se refuser à intégrer cette nature et, partant, l'inconscient psychologique de l'homme, mais, pour s'en distancier, le combattre et le renier. Pour comprendre l'immense portée historique de cette façon d'envisager les choses, il suffit de songer à la manière dont, au cours des siècles, la pensée occidentale n'a cessé de réduire progressivement sa vision de l'homme à la considération de son intelligence et de sa volonté. Déjà le Moyen Âge définissait la foi, donc la relation fondamentale à Dieu, comme acte de l'intelligence commandée par la volonté[11]. Vers l'an 1200, on ne pouvait encore soupçonner qu'un jour, avec le début des Lumières, la raison se dresserait contre le non raisonnable, donc contre des dogmes qu'elle ne pourrait ellemême justifier, et qu'on en viendrait même à proclamer l'athéisme au nom de cette raison totalement isolée. Il semble finalement que ce sont bien la réduction de la foi chrétienne à un acte d'intelligence et la répression de l'inconscient qui ont fourni les fondements sur lesquels s'est construit l'athéisme moderne. De façon fort paradoxale, ce sont les sciences de la nature qui redécouvrent l'unité profonde des vivants de la terre ; mais elles retournent leurs arguments biologiques contre l'Église, pour combattre sa foi et justifier leur propre athéisme, alors que cette vérité était originellement de nature religieuse. Tandis que la dogmatique chrétienne s'en tient à l'idée de l'immédiateté de la création divine de l'âme (au sens métaphysique du terme, mais aussi au sens que la philosophie de la nature a donné à ce terme), la psychanalyse, elle, et à sa suite l'éthologie, découvrent tout ce qui peut subsister d'animal en l'homme. De la doctrine chrétienne de l'« immédiateté » ne subsiste finalement qu'une idée désormais sécularisée, encore défendue dans certaines chaires de psychologie, une doctrine de la *tabula rasa* selon laquelle l'homme ne serait rien d'autre

---

11. Vatican I définissait encore la foi comme *plenum revelanti Deo intellectus et voluntatis obsequium*, « obéissance parfaite de la vérité et de la volonté au Dieu qui se révèle » (Denziger, 3008).

que ce que la société et ses représentants lui auraient inculqué par apprentissage.

La psychologie ignore finalement tout de Dieu et du divin ; elle est devenue sans âme, tout comme a perdu son âme la doctrine de Dieu, la théologie. C'est là, dans ce développement véritablement schizophrénique de la raison auquel nous ne pouvons ici faire qu'allusion, dans cette négation de l'inconscient humain présente dès les origines du christianisme, que s'enracinent les incompréhensions, les angoisses, les blocages du langage, les excommunications réciproques de la théologie et de la psychologie, de la psychothérapie et de la pastorale.

TROIS SYMPTÔMES D'UNE SEULE ET MÊME MALADIE

Le premier symptôme de la maladie, c'est l'impuissance du rêve. La voie royale qui permet à la psychothérapie de sonder l'inconscient, c'est le rêve. Le thérapeute sait l'importance des images spontanées tant pour son diagnostic que pour son pronostic : ce sont elles qui lui permettent de déceler les transferts et d'agir sur le refoulé aussi bien que sur tout le matériau inconscient. Or, bien que la Bible ait su reconnaître dans les songes des ordres divins, et qu'elle contienne quantité d'images oniriques et de symboles, l'exégèse moderne a vraiment dressé de véritables tabous théologiques qui interdisent de comprendre psychanalytiquement l'Écriture et la vie religieuse. Au lieu d'élucider les visions bibliques à partir des images éternelles et de permettre ainsi à chacun de s'y retrouver, elle ne s'intéresse qu'à l'extérieur, aux détails événementiels de l'histoire. Ce qu'elle investit dans les mots, elle le perd en images et en sentiments, et elle finit par en avoir le cœur desséché. Qui, en théologie, est encore capable de saisir le sens d'un mythe, d'un conte, d'un songe ? Et on croit pouvoir comprendre et interpréter la parole de Dieu dans l'Écriture ? Pour qui voit les choses de l'extérieur, l'exégèse historico-critique en arrive à des interprétations du même type que celles qu'on trouve dans le drame de Henrik Ibsen, *Peer Gynt* : devant le sphinx d'Égypte, le héros n'entend que l'écho de sa propre voix ; il se pense « roi de l'exégèse » en constatant que « le sphinx parle allemand, le dialecte berlinois[12] ». Finalement, la

12. Henrik IBSEN, *Peer Gynt*, acte IV ; trad. M. Prozor, éd. Perrin, 1907, p. 116-183.

seule chose que peut encore entendre celui qui recourt à cette exégèse, c'est ce qu'il crie dans le désert, mais ce qui n'est sûrement pas Dieu. Quand, au nom de la religion, on apprend aux autres à être infidèles aux songes, on finit à la longue par détruire la source dont celle-ci procède. Avec la meilleure volonté du monde, les médecins de l'âme sont incapables de percevoir le moindre sentiment de Dieu chez ceux qui ont reçu ce genre d'éducation chrétienne, surtout s'ils sont bons chrétiens. Devenus les régisseurs d'une piété ecclésiastique dépourvue de tout rêve, les théologiens ne peuvent plus alors que s'opposer avec méfiance à une psychothérapie dans laquelle ils ne voient qu'une concurrente venue soudain prendre leur place.

Second symptôme d'un christianisme qui a perdu son âme : la prééminence qu'il accorde actuellement à la morale sur la religion.

En quoi celle-ci consiste-t-elle essentiellement, sinon à permettre à une humanité transie d'angoisse de retrouver les sources de la confiance ! En conséquence, la question morale du « Que dois-je faire » devrait totalement s'effacer devant celle du « Qui es-tu ? Quelle est ton histoire ? De quoi as-tu besoin ? Que cherches-tu ? » Ce qui est essentiel, c'est d'accepter l'autre tel qu'il est, sans préjugé, en l'aimant et en lui ouvrant totalement son cœur, comme le Dieu dont le Sermon sur la montagne dit qu'il fait briller son soleil sur les bons comme sur les méchants.

Telle est la disposition d'esprit à laquelle le christianisme devrait à tout prix se sentir obligé, compte tenu de son dogme. Point capital de la doctrine chrétienne affirmé par Paul et repris par Augustin contre le moine Pélage : l'homme ne saurait être bon s'il n'a d'abord été délivré par la grâce. Mais, en refusant de reconnaître l'inconscient, la théologie officielle s'est condamnée à méconnaître la place que tient l'angoisse dans les couches profondes de la psyché, et elle n'a plus perçu dans son dogme du « péché originel » que quelque chose d'extrinsèque et de superficiel[13]. Bien sûr, « le baptême sauve ». Mais qui sait ce que peuvent signifier la plongée et l'immersion dans l'eau, l'accès à un monde inaccessible à

---

13. E. DREWERMANN, « Das Tragische und das Christliche. Von der Anerkennung des Tragischen, oder : gegen eine gewisse Art von Pelagianismus im Christentum », *Schwerte*, 1981 (Akademie-Vorträge, 5), p. 43-45 ; 52-53.

l'angoisse, la résurrection d'un homme nouveau, rajeuni, baigné dans la grâce, à partir des couches profondes de la psyché, d'un cœur enfin humain, libre, ouvert ? En excluant du domaine de sa réflexion l'inconscient psychologique, la théologie s'est, *volens nolens*, condamnée au pélagianisme le plus grossier, ce qui l'a conduite à compenser son déficit en matière d'expérience croyante par un appel de plus en plus rigide à une morale de règlement. Ce qui a finalement conduit à ces visions caricaturales, fort fréquentes, d'un christianisme qui n'aurait rien à voir avec le développement personnel, la croix du Christ exigeant tout au contraire la négation de soi et l'oblation totale de la personne.

Quand on en arrive à ce point, l'institution ecclésiastique ne peut plus que se dresser avec hargne contre une psychothérapie source de liberté. N'admettant plus en l'homme d'autre réalité psychique que l'intelligence et la volonté, sa théologie morale se révèle incapable de faire place aux aspects tragiques de la vie humaine, avec ses inévitables imbroglios. On se condamne à méconnaître combien saint Paul avait raison quand, dans son épître aux Romains, il décrivait l'impuissance d'une volonté humaine captive : pris dans le tourbillon de l'angoisse, l'homme est incapable de bonté. La psychologie nous fait voir comment les névroses constituent de véritables perversions des visées humaines et de leur aboutissement. C'est de cette étude que la théologie devrait s'inspirer pour redonner sa juste place à sa doctrine de la perte et du salut de l'homme, ainsi qu'à celle de la nécessité absolue de la grâce. Mais elle s'est condamnée à ne plus être qu'une sorte de tribunal moral où l'incapacité de comprendre ce qui se passe transforme inévitablement la mise en accusation du « pécheur » en sentence de condamnation. Ainsi l'Église a-t-elle elle-même transformé sa Bonne Nouvelle du salut en doctrine aliénante où Dieu ne saurait plus apparaître que sous les traits d'un surmoi draconien, ce recours à la peur et à la culpabilité lui permettant de durer.

La *morale conjugale* offre un triste exemple de cette façon d'intervenir.

Du fait du lien établi entre appartenance au clergé, classe dirigeante de l'Église, et obligation du célibat, c'est spécialement à propos du mariage, mais de façon plus générale de la morale sexuelle, qu'on peut percevoir les conflits entre la théologie morale et les perspectives psychanalytiques. C'est

ainsi que, il y a quelques années, au synode de l'Église allemande, à Würzburg, lors de la discussion sur le mariage des
divorcés, les conseillers conjugaux et les « praticiens » défendirent le point de vue de la « miséricorde » ; mais les évêques
défendirent celui de la « vérité » de la parole de Dieu touchant
l'indissolubilité du lien matrimonial, comme s'il pouvait y
avoir vérité sans miséricorde ou miséricorde sans vérité ! Une
telle polarisation des points de vue ne fait en réalité que refléter le déchirement d'une doctrine incapable d'intégrer la psyché humaine, et beaucoup trop abstraite pour affronter les
problèmes psychiques qui se posent. Doctrine qui suscite en
même temps une pratique à laquelle manquent les notions
nécessaires pour décrire et comprendre adéquatement ses
expériences.

Les frères Grimm ont écrit un conte qui fait très joliment
voir ce qui provoque l'échec d'un couple et la façon de le rac-
commoder. Il porte pour titre *La Jeune Fille sans mains*. Il
présente une fillette que son père a contrainte à réprimer tous
ses souhaits en l'empêchant de jamais prendre quelque
chose[14]. Dans le langage des contes, pour que le diable ne
vienne pas emporter son père, elle a dû se laisser couper les
mains. Quelques années plus tard, elle fait connaissance d'un
homme que, toujours dans le langage des contes, elle perçoit
comme un roi. Il lui donne tout ce qu'elle peut désirer dans la
vie. Mais au moment où on pourrait penser que la jeune fille
devrait, intérieurement, être parfaitement heureuse à la cour
du roi, elle est prise d'un sentiment de culpabilité si violent
que tout ce que le roi et la reine peuvent dire se trouve faussé
par le « diable ». Exactement le cas auquel se heurtent quantité de conseillers conjugaux ! Quelqu'un a commencé à
aimer dans l'autre son propre reflet, ou le reflet inversé de
l'image négative de ses parents. Du fait de ce transfert, il projette aussi nécessairement sur l'autre ses vieilles peurs et ses
sentiments de culpabilité. Tous ceux qui connaissent ce genre
d'embarras savent la difficulté qu'il y a à en sortir. Le conte
explique comment, avant que son royal époux puisse la
retrouver, la fille dut vivre sept ans loin du palais, dans une
maison sur laquelle était écrit : « Ici, chacun vit dans la
liberté », autrement dit dans la demeure de la grâce, où ses
mains purent repousser. Pour tous ceux dont la profession est

14. E. Drewermann et I. Neuhaus, *Das Mädchen ohne Hände,
Grimms Märchen tiefenpsychologisch gedeutet*, Fribourg, 1981.

de conseiller les autres, c'est certainement une chose extraordinaire que d'être partie prenante d'un tel miracle de la grâce,
et plus encore d'y collaborer. Mais lequel d'entre nous pourrait prétendre en faire un devoir et, sous peine de faute et de
punition, exiger d'un couple qu'il trouve la sortie le recon-
duisant au paradis perdu et retrouve l'amour ? C'est ici
qu'une réflexion théologique pénétrante sur les racines
inconscientes de l'angoisse et de l'amour, le sentiment de culpabilité et la maturation, permettrait de creuser la place de la
grâce en faisant place aux images de l'intervention divine : ce
qui reste à jamais interdit au moralisme, comme à toute vision
théologique réductrice de l'homme. En réussissant à descendre assez profondément dans les couches intérieures de la
psyché, psychothérapie et morale pourraient se rejoindre, et
la découverte de soi se confondrait avec celle de Dieu. En
procédant autrement, on se condamne à ne rendre justice ni à
l'homme, ni à un Christ qui demande de faire de son évangile
une Bonne Nouvelle qui *sauve*, et non qui détruise.

Troisième symptôme de notre maladie : *la façon dont on
aborde le problème de la souffrance corporelle.*

J'affirmais précédemment que celui qui ignore tout de
l'inconscient et du monde des rêves ne comprendra jamais ni
l'homme devant Dieu, ni Dieu en l'homme. Au lieu de laisser
la vérité divine se développer et mûrir de l'intérieur de celui-
ci, il ne peut que le précipiter dans un système doctrinaire
d'idées et d'exigences aliénantes. Incapable de rayonner de
bonté et de compréhension, il ne pourra que juger et
contraindre, ce qui ne peut que causer du tort à l'*âme*. Mais,
finalement, *il n'infligera pas moins de souffrance au corps*.
Car, qu'on le veuille ou non, la méconnaissance de l'âme
conduit à ne se comporter avec les gens que de façon purement matérialiste. Il n'y a alors rien d'étonnant à ce que notre
savoir actuel de l'homme ne porte que sur son corps, comme
si, au bout de deux cents ans, on avait voulu donner raison au
titre du livre de La Mettrie : *L'Homme machine*[15]. Étant
donné le peu de place dont nous disposons ici, impossible de
s'étendre sur le caractère caricatural que la médecine donne
d'elle-même, ni d'aborder explicitement la façon dont nous
pourrions et devrions aborder le problème de la souffrance
corporelle. Contentons-nous d'un vieil exemple.

15. La Mettrie : *L'Homme machine* (Leiden, 1748) ; Denoël, 1981,
coll. « Médiations ».

L'incertitude sur ce qui a pu provoquer en Occident la dichotomisation de l'image de l'homme ne tient sûrement pas au seul christianisme, même si celui-ci porte une responsabilité capitale dans le mal présent, ainsi que nous l'avons déjà dit en parlant de la lutte contre les mythes : il ne faisait que reprendre une voie déjà tracée par l'hellénisme. Car les Grecs se rappelaient déjà comment des peuples, en lesquels ils ne voulaient plus voir que des barbares, envisageaient six cents ans plus tôt l'unité perdue. C'est ainsi que, devant un de ses disciples qui lui demande de guérir son mal de tête, Socrate, au lieu de répondre à son attente en lui prescrivant un traitement ou un médicament, comme le faisaient les médecins grecs de l'époque, se mit à lui raconter une histoire : au cours d'une campagne militaire, il avait connu un médecin thrace qui, à une demande semblable, lui avait répondu en lui tendant un analgésique, mais lui avait en même temps fait prêter serment de ne jamais s'en servir sans se rappeler une certaine incantation. « [Le] caractère [de cette incantation] est tel en effet qu'elle n'a pas la vertu de remettre en bonne santé la tête seulement », explique Socrate à Charmide, son disciple malade, mais celle d'agir aussi à la façon « de ces bons médecins qui, recevant la visite de quelqu'un qui souffre des yeux, lui disent, je suppose, qu'il est impossible d'entreprendre de guérir les yeux pour eux-mêmes et tout seuls ; mais que, forcément, il doit y avoir lieu de soigner aussi la tête en même temps, si l'on veut que tout aille bien pour la vue également. Réciproquement, c'est le comble de la déraison de s'imaginer que la tête, on puisse jamais la soigner, isolément et pour elle-même, sans soigner le corps tout entier. Dès lors, en vertu de cette théorie, c'est par des régimes que, portant leur attention sur tout le corps, ils entreprennent de soigner et de guérir, avec le corps entier, la partie malade[16].» Et Socrate d'expliquer que c'est exactement ce qui se passe avec cette incantation recueillie auprès d'un de ces guérisseurs thraces qui avaient la réputation de rendre immortel : « ce Thrace assurait que ses confrères de Grèce ont raison de soutenir ce que je disais tout à l'heure. Mais, ajoutait-il, Zalmoxis, qui est notre roi, atteste, en qualité de Dieu, que, tout ainsi qu'on ne doit pas entreprendre de guérir les yeux sans avoir guéri la tête, on ne doit pas non plus le faire pour la tête sans s'occuper du corps, de même on ne doit pas davantage chercher

---

16. Platon, *Charmide*, 156 b, c ; *Œuvres complètes*, trad. L. Robin, Gallimard, 1950 « Bibl. de la Pléiade », t. I, p. 257.

à guérir le corps sans chercher à guérir l'âme ; mais que, si la plupart des maladies échappent à l'art des médecins de la Grèce, la cause en est qu'ils méconnaissent le tout dont il faut prendre soin, ce tout sans le bon comportement duquel il est impossible que se comporte bien la partie. C'est dans l'âme en effet, disait mon Thrace, que, pour le corps et pour tout l'homme, les maux et les biens ont leur point de départ ; c'est de là qu'ils émanent, comme émanent de la tête ceux qui se rapportent à la vue ; c'est par conséquent à ces maux et à ces biens de l'âme que doivent s'adresser nos premiers soins et nos soins principaux, si nous voulons que se comportent comme il faut les fonctions de la tête et celles du reste du corps. Or, disait-il, c'est par des incantations, bienheureux ami, que l'on soigne l'âme ; ces incantations, ce sont les discours qui contiennent de belles pensées ; or les discours qui sont de telle sorte font naître dans l'âme une sagesse morale, dont l'apparition et la présence permettent dorénavant de procurer aisément la bonne santé à la tête comme au reste du corps. Or, tout en m'enseignant, avec le remède, les incantations, il me disait de ne me laisser persuader par personne de lui soigner la tête, sans qu'il m'eût livré d'abord son âme pour être soignée par moi au moyen de l'incantation ! Il ajoutait que c'était, à l'égard des gens, la faute aujourd'hui de certains médecins de prétendre être médecins de l'un des deux à part de l'autre, et il me recommandait avec une extrême insistance de ne me laisser par personne, si riche, si noble, ou si beau fût-il, persuader d'agir d'une autre manière. En conséquence, je lui obéirai ; je lui en ai fait le serment et c'est pour moi une nécessité d'obéir à mon serment. Je lui obéirai, dis-je, et, si tu veux bien, conformément aux recommandations de l'Étranger, commencer par livrer ton âme aux incantations de l'Étranger, commencer par livrer ton âme aux incantations de l'enchanteur thrace, alors je t'appliquerai le remède pour la tête. Sinon, cher Charmide, il n'y aurait pas moyen pour moi de rien faire qui te soulage[17] ! »

C'est par cette sagesse d'un barbare thrace que je voudrais conclure : on ne doit jamais voir dans le corps que le seul corps, car l'homme est unité de l'âme et du corps. Il faut fuir comme la peste, ou plutôt comme une peste, tout médecin qui ne prétendrait soigner que le corps, ou même un organe particulier du corps, sans jamais recourir à l'art des bonnes paroles pour l'âme.

17. *Ibid.*, 156d-157e ; p. 257-258.

Table des Matières

Achevé d'imprimer le 13 mars 1992
dans les ateliers de Normandie Roto S.A.
à Lonrai (Orne)
N° d'imprimeur : I2-0544

N° d'éditeur : 9356
Dépôt légal : mars 1992

Imprimé en France